The
Colour
Bible

私の小さな「赤毛の」ルーファス*へ

*訳注：ルーファス（Rufus）は英語圏の男性の名前で、ラテン語で「赤」を意味するルフス（rufus）の英語読み。

The Colour Bible

ローラ・ペリーマン

カラーバイブル

世界のアート&デザインに学ぶ
色彩の歴史と実例100

SEIGENSHA

日本語版ブックデザイン
大西未生（ザイン）

ディレクション
三好圭子（青幻舎）

日本語版編集
久下まり子（青幻舎）

翻訳協力
百合田香織
株式会社トランネット

カラーバイブル
世界のアート＆デザインに学ぶ色彩の歴史と実例100

発行日
2022年2月25日　初版発行

著者
ローラ・ペリーマン

翻訳
服部こまこ

発行者
安田洋子

発行所
株式会社青幻舎インターナショナル

発売元
株式会社青幻舎
京都市中京区梅忠町9-1〒604-8136
TEL 075-252-6766　FAX 075-252-6770
http://www.seigensha.com

Printed in China
ISBN978-4-86152-870-5　C0070

First published in Great Britain in 2021 by Ilex,
an imprint of Octopus Publishing Group Ltd
Carmelite House, 50 Victoria Embankment
London, EC4Y 0DZ
Text copyright © Laura Perryman 2021
Design and layout copyright @ Octopus
Publishing Group 2021

色事典

凡例
・54ページ以降の各色の紹介に付した数値（カラーコード）はあくまでも参考値であり、絶対値ではない。
　また再現性については使用する紙質や印刷環境により現物と異なる場合もある。
・原書注釈および訳注には「＊」印を付し、訳注にはその旨を記した。

序文

　人間にはもともと色彩感覚が備わっている。色彩は日常生活のあらゆる場面でふとした瞬間にヒントをくれ、人生を導く手がかりさえ与えてくれる。デザインやアートに色彩を正しく取り入れれば望み通りの結果を引き出すことができるかもしれない。色は人の心にはたらきかけるだけでなく、生理現象まで引き起こすという。そんな色を味方につけるにはどうしたらよいのだろう？　どんな手法で、どんなストーリーを持たせて、どんなデザインで表現すればよいのだろう？　色を使いこなすには念入りな工夫が必要となる。色彩の秘密について、これまでの研究成果を学べば、そうした工夫ができるようになるだろう。

　この本は魅力あふれる色彩の世界を案内してくれる最新のガイドブックだ。ここには100種類の色の過去と現在、つまり、それぞれの色の起源とたどってきた歴史が紹介されている。さらには、SNS全盛期の現代における新しい色の使い方も提案している。それは、現代社会を生きる私たち1人1人がデザイナーだからだ。私たちには好きなスタイルや生き方を選択する自由がある。それと同時に、この社会や地球を健全に保つために、色の本当の意味と価値を理解し、目的に合った選び方ができるようになりたい。

　ここで紹介する色は私たちを取り巻く色彩世界のごく一部に過ぎない。無数に存在する色のなかから選ばれた100色は、一般的な好みのデータや著者である私のリサーチに基づいている。主にアートやデザインの分野で使われる材料や素材から生まれた色が基本となっている。私の本業はデザインの流行を予測することなので、職業的背景や手法もこの本に大きく影響したかもしれない。私は幼い頃から視覚的なものに興味があり、おもしろい色や形を見つけてはノートに記録し、夢中になって新しいアイデアと結びつけていた。そうした経験がこの本を書くきっかけになったのかもしれない。色にはさまざまな様相がある。絵画のように手で触れることができるもの、実体のないデジタル画面上で表現されるもの。また、素材そのものが魅力的な色を放つ場合もあれば、文化的な背景を伝えてくれる色もある。

　本書では1つ1つの色だけでなく、調和する配色ついても紹介している。そこで重要になるのが文脈（コンテクスト）であり、つまり色と色との相互関係だ。ある色にほかの色を組み合わせて「何」を伝えたいのか？　それが文脈で、文脈がしっかりしていれば全体の配色がうまくいく。「色選びは難しい」と感じる人もいるかもしれない。でも、たとえば寒色と暖色のようなシンプルな法則を学んだり、ダイナミックかつ調和の取れた配色とはどういうものかが理解できたりするようになれば、誰でも直感的にすぐれた配色ができるようになる。

　この本があなたの色彩の旅の友としてインスピレーションをもたらすことを願ってやまない。仕事や趣味で色を扱うときには参考にしてほしい。色彩の世界は複雑で、さまざまな要素や環境が重なり合った結果として眼に映る。だから、新しい色を探し求める前に、目の前にある色を理解することから始めよう。色は見た目の美しさをアピールするだけではない。人、物、サービス、コミュニティを支え、つなぎ、導くことさえできるのだ。色に深く関わるインクや塗料の製造業者、顔料メーカー、アーティスト、デザイナー、建築家、科学者、さらには生物学者やエンジニアの仕事にも目を向け、色彩の可能性を解き明かしていこう。

「色選びは難しい」
と感じる人もいるかもしれない。
でも、シンプルな法則を学べば、
誰でも直感的に
すぐれた配色ができるようになる。

色と光

　私たちがふだん目にする色彩は光によって生み出されている。まず基本的な理解として、光にはさまざまな波長があることを確認しておきたい。光が物体に当たると、その材質や特性により、異なる波長の光が吸収されたり反射されたりする。反射された光が眼に届くと、眼球の光を受容する部分がそれを視覚情報として受け取り、視神経を通じて脳へと伝達する。すると脳がその情報を色として認識する。人間の網膜には3種類の錐体細胞があり、それぞれ、赤・緑・青の波長を感じ分けることができる。そして、人間の脳はその能力を使って100万もの色を見分けられる可能性があるという。

　スペクトルと呼ばれる光の帯は、1666年にアイザック・ニュートンが発見した。ニュートンは、太陽の白い光をプリズムに通して壁に投影すると7色の光の帯になって映ることに気づいた。そのスペクトルの7色とは、赤（レッド）、橙（オレンジ）、黄（イエロー）、緑（グリーン）、青（ブルー）、藍（インディゴ）、青紫（バイオレット）である。現在、私たちはニュートンのスペクトルの波長をナノメートル（nm）の単位で計測できる。そもそも光とは電磁波の一種で、人間の眼に見える領域の可視光線はそのごく一部に過ぎない。人間の眼はスペクトルの両端にある赤と青紫の認識が苦手で、中間にある黄・緑・青のほうが認識しやすい。実際、右図が示すように赤外線と紫外線はスペクトルの赤と青紫のすぐ外側にあるが人間の眼で見ることができない。可視光線のなかで最短の波長を持つのは青紫（380-450nm）、最長は赤（620-750nm）である。逆に、周波数とエネルギーは青紫が最大で、赤が最小となる。

色と光……
お互いに最も親密な関係にあるもの
──ヨハン・ヴォルフガング・フォン・ゲーテ

光の帯の7色の境目は混ざり合っている。たとえば、緑の帯は草のように黄みがかった緑から緑がかった青へとしだいに変化する。キラキラ輝くエメラルド・グリーンを完璧に特定することは難しいが、その色は青へと移り変わる直前のどこかにある。色彩の魅力の半分は、完璧な色合いを探究することにある。それは自然界で見かけたものを再現したり、頭の中にしか存在しないような色を創作したりすることかもしれない。あるいは、これまでどこにも存在しなかった色を発明することもあるかもしれない。色彩は常に、偶然の発見と熱心な探究の間で進化し続けてきた。その歴史を振り返れば、私たち人類は何度も色というものに驚かされ、魅了され、思いもよらない方法で救われることさえあった。

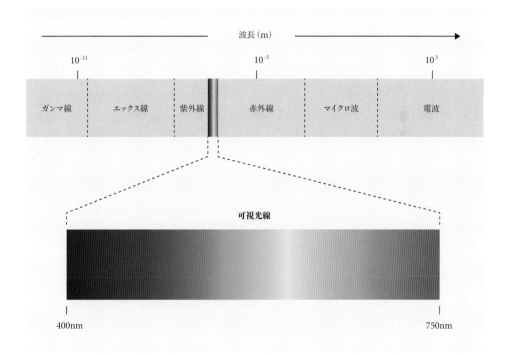

加法混色と減法混色の三原色

アートやデザインに使う色を決めるとき、基本的指針となるのが原色だ。その原色のモデルはいくつかあり、印刷用、オンラインメディア用など、使用する媒体によって異なる。Webデザインなど、光を使って色を表現する場合「加法混色」で色をつくる。物体のある色、すなわち絵の具やインクを使う場合は「減法混色」で色をつくる。

光を媒体とするアーティストやデザイナーは加法混色の理論に基づいている。右図の上段のように、光の三原色は「赤（レッド＝R）・緑（グリーン＝G）・青（ブルー＝B）」から成り立ち、RGBと表記する。この3色をもとにほかの色がつくられていて、たとえば純色の赤と緑の光を重ねると黄（イエロー＝Y）ができる。緑と青を重ねると青緑（シアン＝C）ができ、赤と青を重ねると赤紫（マゼンタ＝M）ができる。この三原色をすべて重ねた部分は白い光になる。色を混ぜれば混ぜるほど光の量が増えて明るくなるため、加法混色と呼ばれる。このRGB式の表色系（カラーシステム）はコンピュータやスマートフォン画面など、デジタルディスプレイに活用される。

一方、物体のある色を混ぜ合わせるときに使うのは減法混色で、三原色は「黄（イエロー＝Y）、青緑（シアン＝C）、赤紫（マゼンタ＝M）」である（右図下段を参照。この表色系をCMYと呼ぶ）。この場合、赤、青、緑は三原色を2つずつ混ぜ合わせるとできる二次色である。この表色系は、色を混ぜるほど光の反射量が減って暗くなるので減法混色と呼ばれる。CMYすべてを混ぜると濁った泥のような色になる。そのため、印刷産業では三原色に純色の黒（ブラック＝K）を加えてCMYKの4色でカラー印刷をおこなう。カラー印刷のインクに含まれないのは白（ホワイト＝W）で、デザイナーは本能的に下地の紙の色を白としてデザインする。

旧モデルとして「赤、黄、青（RYB）」を三原色とする減法混色もある。絵の具の混ぜ方の説明によく使われ、学校の美術の授業などで使用される。現在、ほとんどの産業分野ではRGB／CMYモデルのほうが便利で多彩な色をつくり出せると考えられ、旧式のRYBモデルはあまり使われなくなっている。

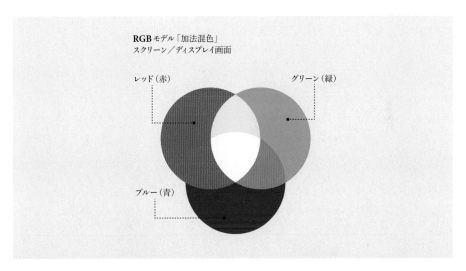

RGBモデル「加法混色」
スクリーン／ディスプレイ画面

レッド（赤）　　　　　グリーン（緑）

ブルー（青）

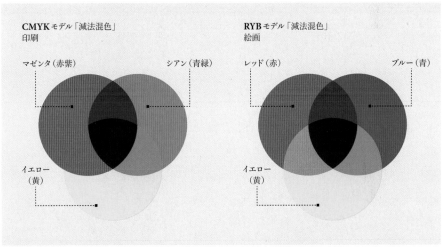

CMYKモデル「減法混色」
印刷

マゼンタ（赤紫）　　　シアン（青緑）

イエロー
（黄）

RYBモデル「減法混色」
絵画

レッド（赤）　　　　　ブルー（青）

イエロー
（黄）

色と視覚

　あたかも「正確な色」というものがあるかのように思い込み、人それぞれに思い描く色が違ってしまうのは当たり前のことである。芸術家のジョセフ・アルバースはこう言った。「ある色を指して1人が『赤』と言ったとしても、それを聞いていた50人の心の中には50通りの赤が存在してもおかしくはない*。」その原因の1つとして、光の反射が環境により異なるということが挙げられる。午後遅い時刻の太陽光と、真昼や夕暮れどきの太陽光は同じではない。そこにある光の量も関係する。壁に色がついていれば光の反射の仕方も変わる。もし、「日中の白色光」のもとでしか可視光線の全域が見えないとしたら、LED、蛍光灯、白熱灯、その他の人工的な照明はすべて、色の見え方に悪い影響を及ぼす。

　色の見え方は近くにある色からも影響を受ける。その現象を同時対比という。たとえば、鮮やかな色と落ち着いた色を隣り合わせに置くと、鮮やかな色がより引き立って見える。色の対比現象は距離が近いほど意外な結果を生む。単独で見ると強烈な赤だと感じていた色が、青のすぐ隣にあるとオレンジがかって見えたりする。これは人間の眼が近くにある色の見え方とのバランスを取ろうとするためだ。

眼に見える色は光の反響。
光は物体に当たると吸収され、
反射し、共鳴し合い、最後に色という
現象になって私たちの前に現れる。
——ヘラ・ヨンゲリウス

* Albers, Josef The Interaction of Color, 50th Anniversary Edition, New Haven and London: Yale University Press, 2013

『配色の設計―色の知覚と相互作用』ジョセフ・アルバース著、永原康史監訳、和田美樹訳、ビー・エヌ・エヌ新社、2016年

　歴代の芸術家たちは、こうした色の対比効果の研究を重ねてきた。現代に生きる私たちも、微妙な見え方の差をマイナスではなくプラスととらえて新たな可能性を探求していきたい。デザイナーのヘラ・ヨンゲリウスは、物体に当たる光が時間の経過とともにどう変化するかを観察し作品づくりに活かしている。ヨンゲリウスの作品に光が当たると、そのフォルムや質感によって光が分散し、異なるパターンやトーンとなって模様のように反映される。

　色の見本帳はたいてい白い紙片に印刷されるが、現実の世界に真っ白なものはほぼ存在しない。素材の表面、質感、色調の違いなどにより、そこに着色される色は大きく影響を受け、見え方も変わってくる。(p.30「色を表現する素材」も参照)

《ダイヤモンドの花瓶 昼／ダイヤモンドの花瓶 夜 Diamond vase, Day and Diamond vase, Night》
ヘラ・ヨンゲリウス 2019年 Limited Edition Galerie kreo

色彩理論

　赤・黄・青の絵の具を混ぜ合わせると何色がつくれるか。色の三原色について、学校で習った人も多いだろう。色の基本原則を知れば応用でき、プロジェクトに適した配色を選びやすくなる。ここでは色彩理論の歴史を簡単に説明しておきたい。

色彩理論の略歴

アリストテレス（B.C.384–B.C.322）：

　アリストテレスは色彩の規則的な変化を一本の線でとらえる説を初めて提唱した。すべての色は光と闇、白と黒の間から生じると考えた。

アイザック・ニュートン（1642–1727）：

　ニュートンの研究により可視光線のスペクトルに7色の帯があることが判明した。光の波長と色の密接な関係が明らかになった。ここから色彩理論が脚光を浴びるようになる。

ヤコブ・クリストフ・ル・ブロン（1667–1741）：

　ル・ブロンは現代のCMYKカラーモデルに似たRYB-Kカラーモデルを使い、3色刷り、4色刷りの技法を発明した。メゾチントという凹版印刷の技法を用いて三原色の濃さを変えて重ね刷りすると幅広い色の表現ができることを証明した。

モーゼス・ハリス（1730–1787）：

　昆虫学者で職業版画家のハリスは1766年に出版した著書『The Natural System of Colours（色彩の自然系統）』で包括的なカラーシステムを発表した。そこにはRYBの三原色に基づく18色相の「プリズムの色相環」と、中間色に基づく18色相の「合成の色相環」が描かれた。（右図参照）

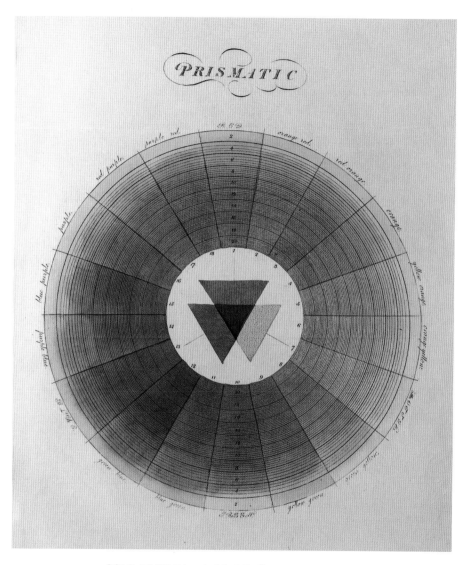

《プリズムの色相環　Prismatic Color Wheel》モーゼス・ハリス　1766年

《色彩実験 No.10 Colour experiment No.10》オラファー・エリアソン 2010年

ミシェル＝ウジェーヌ・シュヴルール（1786–1889）：

シェヴルールは1839年の著書『色彩の同時対比の法則』で、色彩に関する最重要点は色そのものの物質的性質ではなく、見る者のとらえ方だと提唱した。「色の対比」という言葉はシェヴルールが初めて使い、隣接色が色の見え方に影響することを示した。

アルバート・マンセル（1858–1918）：

マンセルは世界で初めて機能的かつ普遍的なカラーマッチング・ツールを発明し、色を的確に再現できるようにした。マンセルは個々の色を「色相、明度、彩度」の数値で標準化した。その表色系は産業分野で広く使われるようになり、Pantone（パントン）、NCS、RALなど、現在普及しているカラーオーダーシステムの基礎を築いた。(p.42「表色系／カラーシステム」参照)

バウハウス*（1919–1933）：

ヨハネス・イッテン、ワシリー・カンディンスキー、パウル・クレー、ジョセフ・アルバースら、バウハウスで教鞭を取った芸術家たちの教えが、現代にも通じる応用色彩理論に発展した。バウハウスに所属した芸術家たちの取り組みは色の共感覚の概念に基づいている。色彩が音楽や形状に結びついているとする考え方で、シュヴルールが唱えた同時対比を基礎にさまざまな対比や配色の効果を実証した。

アルバースが1963年に出版した著書『配色の設計』には、色彩調和の例、並列対比、同時対比などの例を数多く紹介し、芸術やデザインを学ぶ学生たちの育成に役立った。

オラファー・エリアソン（1967–）：

エリアソンは2009年から化学者と協働し可視光線のスペクトルを1ナノメートルの単位で顔料としてつくり出すプロジェクトに取り組んでいる。その顔料で円状のキャンバスにペイントした作品群を《色彩実験絵画　Colour Experiment Paintings》として発表している。光として感じ取っている色（RGB）を顔料という実体のある物質に変容させる取り組みは、新たな1つの色彩理論として評価されている。

*訳注：バウハウス　1919年にドイツのワイマールに創立された総合造形学校。33年ナチスの弾圧により閉鎖された。近代建築・デザインの確立に大きな足跡を残した。

フォトニック結晶で独特の光彩を放つチョウの羽（顕微鏡による拡大像）

21世紀における色彩

　今日、科学技術の飛躍的進歩や素材に適した着色法の開発により、色のとらえ方は大きく変化した。液状レジン着色料、プラスチック、パイル生地、液晶ディスプレイなど、さまざまな新素材の登場により、わずかなニュアンスの差や複雑な色表現も可能になった。フィンランドのアアルト大学にある「構造色研究所（The Structural Colour Studio）」では、自然界にある無色素のフォトニック結晶が、光と接触するだけで発色することを発見しその構造を明らかにした。こうした「構造色*」は単一の色でなく複雑な色彩を帯びるスペクトルであることがわかった。

　色とは何か、色にはどんな可能性があるのか？　その答えを探し求めていくなかで、今後の色彩理論の鍵を握るのは素材かもしれない。本書で取り上げる100色には、植物由来の最高品質の顔料から人工的につくられた未知の可能性を持つ色料まで、実に多彩な色が登場する。そして、ほぼすべての章に少なくとも1つはこれまでの常識をくつがえすような色の話が含まれている。

*訳注：p.49 用語集「構造色」
の項目を参照

色相環（カラーホイール）

　色相環は17世紀に初めて図式化されて以来現在に至るまで、色の相互関係を理解するのに最も役立つツールである。色相環の多くはRYB（赤・黄・青）モデルの減法混色に基づいているが、右のページにある色相環はRGB（赤・緑・青）モデルの加法混色とCMY（シアン・マゼンタ・イエロー）モデルの減法混色に基づいている。この色相環では、各モデルの二次色がもう一方のモデルの原色に相当し、それぞれの中間に三次色がある。

　この図では色がはっきりと線引きされているが、実際のスペクトルでは色と色の境目は判別できない。色と色の間には、ごくわずかな違いの色相が無数に存在する。このシンプルな輪の形をした色相環は、色と色とが互いにつながっていることを教えてくれる。また、原色である一次色、その2つを混色した二次色、原色と二次色の中間にある三次色が関連し合っていることが一目瞭然である。さらに明るさ・暗さを段階的に表すと色彩の世界を立体的にとらえることができる。

　ここからは色の相互関係と色相環における位置関係を簡単に解説する。これらの色彩用語は本書によく出てくるものばかりなので頭に入れておくとわかりやすい。

*訳注：彩度は「サチュレーション／Saturation」と表現する場合もある。

**訳注：明度は「ライトネス／Lightness」と表現する場合もある。

RGB／CMYに基づく
色相環（カラーホイール）

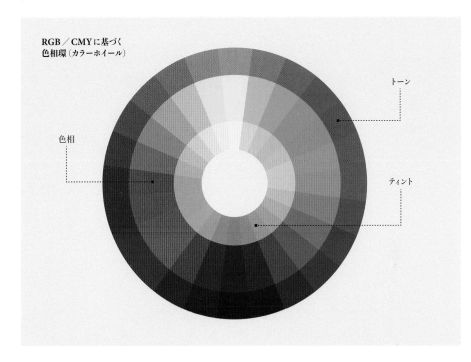

トーン

色相

ティント

用語説明

色相（ヒュー／Hue）：
青、黄、緑など、有彩色の色みのこと

彩度（クロマ／Chroma*）：
色の純粋さ、鮮やかさ。白・グレイ・黒をまったく
含まない状態が「純色」で彩度が最も高い

明度（バリュー／Value**）：
色の相対的な明るさ・暗さ

ティント（Tint）：
純色に白を混ぜて明るくしたパステル調の色合い

トーン（Tone）：
純色にグレイまたは黒を混ぜて暗くした色合い

詳細な定義は「用語集」（p.46）を参照

原色（一次色）

　ほかのすべての色をつくるもとになる基本色。原色はほかの色同士を混色してつくり出すことができないため「純粋な」色と考えられる。原色の設定は使用するカラーモデルによって異なる。下の図は、広く使われるRYB（赤・黄・青）を原色とするモデル。

二次色

　原色を2つ混色してできる色。RYBモデルの場合、たとえば赤と黄を混色すると橙（オレンジ）ができる。二次色は原色よりもきつくなく見やすいと感じられる。また原色より鮮やかな色だととらえられることもある。

三次色

　色相環で原色と二次色の中間に当たる色。たとえば、青と緑を混色すると青緑（ティール／teal）になる。また、2つの二次色を混色しても三次色をつくることができる。たとえば、緑と橙を混色するとその中間色のシトロン（citron）ができる。混色すればするほど微妙な色合いが生み出され、たとえば、シトロンとあずき色（ラセット／russet）を混ぜれば、もみ革色（バフ／buff）や、もぐら色（トープ／taupe）が生まれる。

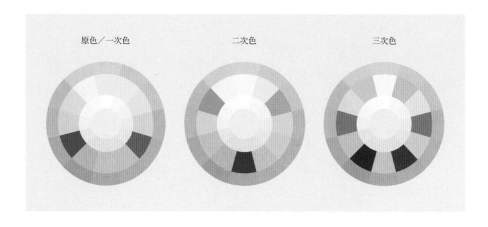

原色／一次色　　　　　二次色　　　　　三次色

モノクロマティック／同一色相配色

1つの色相だけを用い、明度差で配色するカラースキーム（色彩設計）。シンプルで洗練された印象を与える。視線をそらすものが少ないためフォルム（形）を強調できる。

参照項目：カーマイン（p.64）、インディゴ（p.168）、バイオレット（p.210）、チャコール（p.278）

アナログス／類似色相配色

色相環で隣接する色を組み合わせる配色。例：緑みの黄＋黄＋黄みの橙。

類似色同士の配色は見やすく自然な印象を与え、「静けさ」「温かさ」など特定のイメージを想起させやすい。

参照項目：マダー（p.70）、イエローレッド（p.86）、ボトル・グリーン（p.148）

コンプリメンタリー／補色色相配色

真逆のものは惹かれ合うというが、色彩についても同じことがいえる。青と橙のように色相環で対向にある色（補色）同士の配色は魅力的に映る。補色のペアはエネルギッシュではっきりした印象の視覚的効果を生み出す。ペアの色の割合を変えた視覚効果も楽しみたい。また、片方の明度を上げ、もう片方の明度を下げるとやや穏やかな印象になる。

参照項目：タンジェリン（p.92）、ハイビス・オレンジ（p.102）、セラドン（p.142）、ティール（p.188）

スプリット・コンプリメンタリー／分裂補色配色
（コンパウンドともいう）

補色色相配色の理念に基づく3色配色だが、補色ペアそのものではなく、片方はその両隣にある色を使う。この配色も対比効果が際立つものの、補色同士よりもバランスが取れた調和を感じさせる。

参照項目：エメラルド・グリーン（p.146）、ペールピンク（p.232）、バーントシェンナ（p.298）

ダイアード／2色配色

　色相環で離れた位置にある2色を使う配色。たとえば、青紫と青緑など。近い色相のペアが自然な調和を生むのに対して、遠い色相のペアはより目立つ視覚効果を生む。白を多く含むティントや、暗度の高いトーンでも効果的に使える配色。

参照項目：フェイデッド・サンフラワー（p.120）、プルシアン・ブルー（p.178）

トライアド／3色配色

　色相環を3等分し、正三角形になる位置の3色相を使用する配色。たとえば、紫、橙、緑。3色のうち1つを優勢なドミナントカラーとし、2色をアクセントカラーとして使うと効果的。

参照項目：ブラッド・レッド（p.72）、コーラル（p.100）、ヘリオトロープ（p.214）

テトラード／4色配色

　色相環を4等分し、正方形になる位置の4色相。すなわち2つの補色ペアを使用する配色。4色配色はファッションによく取り入れられる手法で、対比と調和を同時に表現できる。4色配色の成功の鍵は配色の割合にある。

参照項目：レモンイエロー（p.112）、ウィート（p.122）

暖色と寒色

　熱や火を連想させる色（黄、橙、赤）は暖かく感じられるため「暖色」という。また、氷や水を連想させる色（主に青）は冷たく感じられるため「寒色」という。両方の性質を備える緑と紫は「アクセントカラー」と考えられる。こうした寒暖感はあらゆる色から感じられ、たとえば黄でも緑みが強いとやや冷たく感じられる。

参照項目：エレクトリック・ライム（p.160）

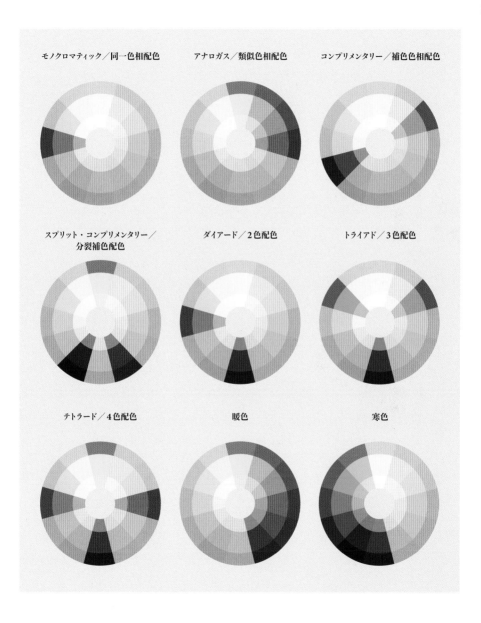

モノクロマティック／同一色相配色

アナロガス／類似色相配色

コンプリメンタリー／補色色相配色

スプリット・コンプリメンタリー／
分裂補色配色

ダイアード／2色配色

トライアド／3色配色

テトラード／4色配色

暖色

寒色

色の視覚対比

　洗練された配色をつくるには、組み合わせや条件の違いによる色の相互作用の特徴を知ることが大切だ。1つのデザインに何種類の色をどんな比率で使えばよいか？　芸術家ジョセフ・アルバースが26年間かけて取り組んだ実験的絵画シリーズ《正方形讃歌》は、正方形だけのシンプルな構図を配色を変えて何回も描き、色の相互作用を模索したものだ。色の組み合わせは無限にある。ここでは効果的な視覚対比を生む代表的手法をいくつか紹介する。実際配色を考える際には、これまでのページで説明してきた色の相関関係も念頭に置いてほしい。

面積対比

　使用色を2、3種類にしぼり、そのうち1色をドミナントカラー（優勢色）として大きな面積に使う。ほかの色は補助的に使用するとシンプルでダイナミックな視覚効果が生まれる。

彩度対比

　高彩度の純色と、彩度を落としたティントやトーンの色調を組み合わせてみよう。大事な部分をそのほかの部分や背景との彩度の違いで際立たせる。

明度対比

　明度による対比はデザインの雰囲気づくりに役立つ。大きな面積に明暗のはっきりした配色をほどこすとドラマチックな効果が生まれ、全体的なメッセージが伝わりやすくなる。たとえば、2つの暗いエリアの間に明るい部分を挟むと明るい部分に注目を集められる。これは絵画では「明暗法（キアロスクーロ）」と呼ばれる。明暗差を低くすると心地よく落ち着いた印象になる。

ジョセフ・アルバース《色の相互作用 Interaction of Color, Plate IV-1b》1973年

面積対比 （p.149 ボトル・グリーン参照）

彩度対比 （p.171 インディゴ参照）

明度対比 （p.293 ヴァン・ダイク・ブラウン参照）

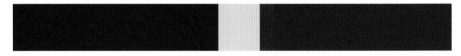

高彩度の有彩色対比 （p.116 ファクトリー・イエロー参照）

無彩色と有彩色の対比 （p.156 ヴァイタル・グリーン参照）

色の寒暖差対比 （p.63 スカーレット参照）

高彩度の有彩色対比

　2色以上の有彩色で彩度が同レベルの色の組み合わせは、元気でいきいきとした印象を与える。インパクトのある配色をつくりたいときに便利。ただし、相性の良い色を選ぶことが肝心。似通った色相を選ぶだけでは視覚的な緊張が生まれてしまう。

無彩色と有彩色の対比

　無彩色のなかに彩度の高い色をほんの少しだけ取り入れると、わずかな色みでも効果的に注目を集めることができる。あるいは、黒や白などの無彩色で鮮やかな色の印象をやわらげたり、フレームのように囲んで対比を生む方法もある。

色の寒暖差対比

　大まかには補色関係にある寒色と暖色をシンプルかつ効果的に取り入れる。たとえば、青い背景に暖かみのあるオレンジ色を置くと、視線は自然に暖色のほうへと導かれる。彩度を下げると眼に優しく、効果は同じように期待できる。

色は芸術における最も相対的な媒体で、いくつもの顔や姿を持っている。色と色との相互作用・相互依存について学べば、世界を「見る目」が変わるだろう。そして私たち自身さえも。
——ジョセフ・アルバース

色を表現する素材

　貴重な鉱物や宝石由来の顔料にイマジネーションをかきたて
られた昔の芸術家たち。あるいは、さまざまな新素材を使いこな
す能力が必要とされる現代のアーティストたち。色の起源と歴史
を勉強する上で、色料（着色に用いる顔料や染料）の理解はど
うしても欠かせない。

　色料はもともと手探りでつくられてきた。20世紀に至るまで、
人々はあらゆる素材を水で洗ったり、薄めたり、溶かしたり、何
かで叩いたり、つぶしたりしたものを、石灰、油、動物性油脂、
卵などと混ぜ合わせて着色できるかどうか試してきた。植物由来
の黄色、昆虫由来の赤色、特殊な貝から生まれた紫色……。
その原材料が手に入る地域、その技術が受け継がれている地域
でしか手に入らない色も多かった。新しい色が誕生するときはい
つも科学と芸術が手を携えてきた。17世紀の画家ヴァン・ダイク
は影の描き分けに必要なブラウンを追い求め、土の研究から生
まれた新しい顔料を愛用した。20世紀の画家イヴ・クラインは
神秘的で吸い込まれるような新しい青色が欲しくて自分の手で
開発した。

原材料

　素材そのものが持つ固有色を尊重し、作品の色としてそのま
ま使うことがある。マックス・ラムやドナルド・ジャッドら、近現
代のアーティストは、素材の美をありのままに活かす芸術活動を
おこなっている。彼らは素材をまったく加工せずに使うこともあれ
ば、熱や化学薬品を加えて偶然生まれる結果を作品に反映させ
ることもある。
参照項目：コッパー（p.98）、スマルト（p.180）、シルバー（p.266）、
アルミニウム（p.268）

ブロック状のインディゴ顔料

光・照明

　キラキラ輝く光は人の視線を釘付けにする。15世紀の画家ヤン・ファン・エイクは顔料に鉱石や宝石の粉を混ぜ合わせて絵画に光を再現しようとした。現代アーティストは顔料の代わりに照明を使うこともある。ジェームズ・タレルのまばゆい光の芸術は、昼から夜へと移りゆく自然光を照明で表現している。3D技術やデジタルアートなどの最先端テクノロジーは、私たちの色の認識を根底から変えてしまうかもしれない。

参照項目：リアクティブ・レッド（p.80）、ヴァイタル・グリーン（p.154）、ネオンピンク（p.226）、ルナホワイト（p.254）

科学技術を用いた色

　科学技術の進歩で色彩の仕組みが明らかになった現在、色はもはや「美」の領域だけのものではなくなっている。たとえば、自然界にある葉緑素（クロロフィル）などの光合成色素を使って光エネルギーをコントロールできるようになった。その一方で、完璧な黒に最も近いとされるカーボンナノチューブ（炭素原子が管状に並んだ物質）を用いても、100％の黒はまだ人間の眼で感知できないという。また、新技術の開発により生物由来の色素を素材に直接着色できるようになり、それが産業廃棄物を減らす効果につながる例もある。

参照項目：クロロフィル（p.162）、インミン（YInMn）ブルー（p.198）、リビング・ライラック（p.238）、ベンタブラック（p.286）

廃棄物を原料とする色（**Waste Colour**）

　産業廃棄物や農業廃棄物から生まれた色をデザインに活用してゴミの量を減らそうとするアーティストたちもいる。そうしたリサイクルカラーは個性的で多様性に富んでいる。野菜などの農業廃棄物からつくられる染料や、金属などの産業廃棄物からつくられる塗料が一般的。

参照項目：レッドオーカー（p.54）、ビートルート（p.236）、スラグ（p.276）

対象素材〔Base Material〕

　着色する対象となる素材もまた重要である。通常、その素材の色も全体の色みに影響を及ぼすことになる。たとえば、銀色のアルミニウム板に黒を塗ると、アルミニウムの基質に黄みがあるため真っ黒にはならない。また、青い布地を黄色に染めたくても、一般的な染料では黄色にならない。

　こうした対象素材の影響を回避するための産業技術も発達している。CMYKモデルの印刷で白を表現したい場合、カラーインクを載せる前に白く加工をする方法がある。そうすれば、カラーインクを載せない部分が白く見える。しかし、望み通りの色になるようコントロールすることばかりが適切だとはいえない。あらゆる過程で廃棄物が出てしまうことを考えると、素材と色から生まれる偶然の結果を愛し、思い通りにならない色彩をあえて楽しむことにも価値がある。

新しい色が誕生するときは
いつも科学と芸術が手を携えてきた。

34 色彩心理

　色は「見た目の美しさ」以上に、人間の心に影響を及ぼす。こうした考えに基づく色彩心理学の研究が始まったのは比較的近年のことだ。心理学者のアンジェラ・ライトは、光の波長が眼から脳に届くと「内分泌系を司る視床下部に達し、ホルモンを分泌させる。すると、それぞれの色（波長）が体の特定の部分にはたらきかけ、生理現象を引き起こして心理的反応につながる」と述べている*。

まもなく夕暮れが訪れる。
ぶどうのような夕暮れ。
タンジェリンオレンジの木立と
長いメロン畑の上に、紫色の夕暮れが訪れる。
太陽は押しつぶされたぶどう色。
そこにブルゴーニュワインの赤い光が差す。
辺りは愛とスペインのミステリーに染まる。
──ジャック・ケルアック『路上』

* Sevenic, Kurt and Kelechi Kingsley, Osueke, 'The Effects of Color on the Moods of College Students', Sage Journals, 2014
https://journals.sagepub.com/doi/full/10.1177/2158244014525423

　色彩心理学では「色はそれぞれ異なる感覚器官に作用し、そ
れぞれ異なる感情的・身体的反応を引き起こす」と考える。リア
クティブ・レッド（p.80参照）は脳に危険信号を発するため、見
た人の生理反応を引き起こして心拍数が上がる。逆に、ベイカー・
ミラー・ピンク（p.224参照）は感情を鎮静化させるために開発
された色だ。色を見て何かを思い浮かべることを「色の連想」と
呼ぶ。個人的な記憶を呼び覚ますために使われたり、集団とし
ての記憶や特定のブランドを想起させるために使われることもあ
る。色の認識は文化的背景によっても変わる。宗教、伝統、プ
ロパガンダなどと結びつき、ある考えを人々の心に浸透させるた
めに特定の色が使われる場合もある。色が持つシンボル性は文
化ごとに異なる。たとえば中国では、白は純粋さや死を象徴する。
メキシコでは、マリーゴールド・イエローが再生を意味する。また、
時代性も大きく影響する。自分が属している社会や民族において
「私」とはどんな存在か。自分の周囲で色彩はどのように使われ
ているか。私たちは日常生活のなかでさまざまな色の刺激やパ
ターンにさらされ、そこに身を置くうちに色から連想するものが直
接的、間接的に変化していく。
　次のページでは、色から連想される一般的なイメージを紹介
する。時代、文化、使われる文脈によって色の受け止め方は変
わる。そのため、基本的なアイデアとして参照し、これからの研
究やリサーチにつながる出発点としてとらえていただきたい。

情熱、愛、パワー

赤は燃え盛るエネルギーやダイナミックさ
を感じさせる。活動的で刺激的。大きく
広がるように見える。高彩度の赤は人々
の注目を集め、興奮させる。

エネルギー、陽気な、いきいきとした

オレンジは赤や黄よりも穏やかで親しみ
やすい。暖かさや正直さを感じさせる。
幅広い用途に使える二次色。重要な情
報を伝えるのに効果的。

幸福、希望、理想

黄は楽観的なイメージを与える。刺激、
爽快感。ほかの色との組み合わせしだい
でさまざまなムードをつくることができる。

フレッシュ、豊か、癒し
緑は心を穏やかにさせる。バランスが取れている。若々しい。瞳に優しい色。薄緑は心を落ち着かせ、濃い緑は瞑想的。

穏やか、神聖、瞑想的
青は自然界とのつながりが深い。眼に優しく、心安らぐ。明るい青は広がるイメージ。神聖な印象。暗めの青は信頼感を与える。

気品、創造力、スピリチュアル
紫は精神世界を連想させる。気づきや考察のイメージ。明るい紫はクリエイティブな遊び心、暗い紫は特別な才能やミステリアスな魅力を印象づける。

穏やか、若々しい、モダン

ピンクは優しく柔らかな印象だが、内に
秘めたほのかな反抗心を感じさせる。薄
いピンクが与えるイメージはリラックス感、
思いやり（エンパシー）。マゼンタははじ
けるようなエネルギー。

思いやり、エレガント、優しい

白を多く含む淡いペールカラー。わずか
な色の違いで微妙なニュアンスを調整で
きる。柔らかく控えめな印象。穏やかで
マインドフル（心のこもった、思いやりの
ある）。

純粋、清潔、ミニマル

純色の白は「はじまり」の色。まっさらで
クリーンな印象を与える。あまり使いすぎ
ると無機質で近寄りがたい印象になる。

不機嫌、保守的、普遍的

グレイの第一印象は退屈で保守的かもしれない。だが、グレイには静かな気品と中立性がある。複雑な世の中でものごとをシンプルに伝えたいとき、明るめのグレイを初期設定にすればうまくいく。

ミステリアス、エレガント、革新的

純色の黒は神秘的で奥深い。白が「無の空間」だとしたら、黒は「すべてを内包した空間」。生理学的には、身を隠したり、大切なものを隠したりするのに安全な場所。瞑想的。

自然、健全、再生

大地の色ブラウンは自然や循環をイメージさせる。安定感があり信頼できる。安心させる。

色彩心理学の研究者

ヨハン・ヴォルフガング・ゲーテ（1749–1832）：

　ドイツの文豪・博学者として有名なゲーテは色彩の研究もしていた。ゲーテは色彩を光学的な観点からだけではなく人間の心理からも研究し、実験を繰り返して独自の理論にまとめた。当時は人間の主観を尊重したカラーシステムはあいまいなものと受け取られたが、後世の芸術家や思想家に多大なる影響を与えた。

カール・ユング（1875–1961）：

　スイスの精神分析学医ユングは、色から連想するイメージについて研究した。ある色を見て思い浮かべることは、その人の個人的な学習経験、強制的に何かをさせられた過去、生まれ育った文化的背景などが影響する。色の知覚には「個人的嗜好」が強く反映されると考えた。

ヨハネス・イッテン（1888–1967）：

　画家でありバウハウスの教師でもあったイッテンは、色彩を物体と関連づけるのをやめ、内面から湧き上がる感情と結びつけて心理学的な色彩論を展開した。学生たちに取り組ませた課題の1つに、あるテーマで思い浮かべる色彩を格子状に分割したマス目に塗るというものがあった。こうしたサンプリング式の実験を通して主観的な色の調和論を確立していった。

アンジェラ・ライト（1934–）：

　ライトが研究開発した「カラー・アフェクト・システム（Colour Affects System）」により、世界で初めて心理作用と色彩調和の関係が科学的に証明された。このシステムによると、人の性格はいくつかのカラーグループに分類でき、そのグループに含まれる色はすべてその人に心理的作用を及ぼすという。

カレン・ハラー（1996-）：

　色彩心理学を商業・産業分野に応用。あらゆるデザインにおいて、色の選択や配色が消費者行動に大きく影響すると説く。

ベヴィル・コンウェイ（1974-）：

　心理学と神経学を組み合わせたアプローチで美的感覚について研究する「神経美学」は現在急成長中の分野である。コンウェイは脳のはたらきを解析し、色と感情の反応パターンを研究している。GoogleやIKEAなどのブランドが消費者傾向をつかむためにこの技術を取り入れている。

色彩の達人になりたいのなら、
1つの色にほかの無数の色を
組み合わせたときにどう見えるかを
常に意識し、実践し、
体感しなければならない。
——ヨハネス・イッテン

表色系／カラーシステム

紀元前4世紀にアリストテレスが「すべての色は光と闇、白と黒から生じる」と唱えて以来、色彩の世界をどう体系化すればよいのか、多くの思想家たちが夢中になって模索してきた。近代では、色を示す「共通言語」をつくることが目標とされた。昆虫学者のモーゼス・ハリスは自然界で目にする色を分類し呼び名を統一しなければならないと感じ、独自のカラーシステムを考案した。同じ理由で、チャールズ・ダーウィンはビーグル号に乗って大航海に出かけるとき『ヴェルナーの色事典（*Werner's Nomenclature of Colours*)』を持参した。19世紀に出版されたその本には、自然界で見られるさまざまな色に名前をつけて分類してあり、それぞれがどの植物、動物、鉱物のどの部分の色かを詳しく解説している。こうした表色系（カラーシステム）は現代社会でも必要とされている。たとえば、パントン社の「Pantone 7652C」と名付けられた色は、世界中どこでも「Pantone 7652C」という色名で通用する。

現在、私たちは日常的に「Hex値」や「CMYK」などのコードを使って色を指定している。パントンの流行色「リビング・コーラル（Living Coral) 16-1546」や「クール・グレイ（Cool Gray) 9」はマグカップやTシャツなど、ありとあらゆる商品に使われている。地図の座標を読むように色のコードを読みこなせれば、色彩の世界を自由自在に往来して好みの色を選ぶことができる。この本に掲載した色にもCMYKやRGBを含む複数の表色系のコードを記しているので参考にしてほしい。

マンセル表色系（マンセル・カラー・システム）

1905年にアルバート・マンセルが開発した世界初の本格的な3次元カラーシステム（別名カラースペース／色空間）。「色相、明度、彩度」の3属性の段階で色彩を体系化したモデル。マンセル表色系は多岐にわたる産業分野に広く普及している。

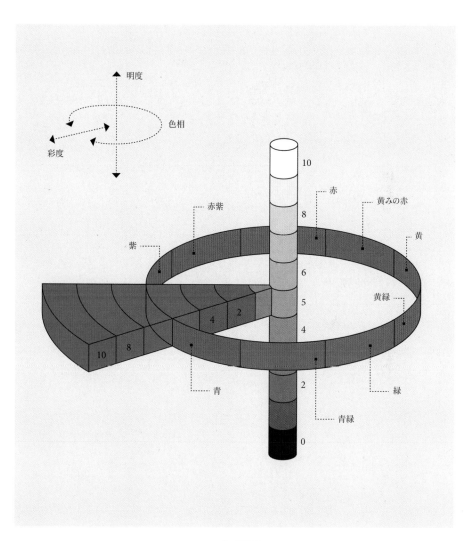

マンセル表色系

パントン・カラー・システム

パントン社のカラーチップと呼ばれる色票は世界中で標準使用されており、有名企業や高級ブランドも愛用している。パントンは1963年創業のアメリカの会社で、多彩な色を数字で分類してカラー・マッチング・システムという見本帳にまとめている。もとはグラフィックデザインと印刷の分野でのみ使用されていたが、現在ではテキスタイルやプラスチックなど、あらゆる産業分野で利用されるようになった。

→ 公式サイト：www.pantone.com（英語）

NCS（ナチュラル・カラー・システム）

NCSは色を「知覚的に」表現したカラーシステムで、建築やインテリアデザイン分野で広く使われる。デザイナーと製造業者の間で色を指定するために普及した。色彩を3次元の立体構造で表し、中心軸の上が白、下が黒となる。赤、緑、青、黄の4基本色を水平に円を描くように等間隔で配置。その基本色に一定の割合で白か黒を混ぜて色調をつくる。

NCSの色コードで「3055–B10G」（p.188「ティール」参照）と表示されている場合、黒色度30%、クロマ（純色の度合い）55%という意味。クロマの数値が高いほど鮮やかな色になる。「B10G」のBは青、Gは緑を表し、この場合は緑よりも青に近い見た目ということになる。反対に「B90G」なら青よりも緑のように見えることを表す。

→ 公式サイト：www.ncscolour.com（英語）

Dulux/ICI

インテリア塗料の老舗ブランド「デュラックス Dulux（別名ICI）」の色見本システム。4つの原色と4つの二次色を基礎とする。コードの最初の2桁（00〜99）で色の純度を示していて、50が最も純度が高い。たとえば「60YY–73／497」という色（p.112「レモンイエロー」参照）の場合、60YYは純色に近い黄色を示す。ハイフンの後の2桁の数字（00〜99）は明度を表す。この場合は73なので比較的明るいレモンイエローということになる。最後の3桁はクロマの値で、000が無彩色、999が最も鮮やかな色となる。この例では497なので中間値の穏やかな色みである。

→ 公式サイト：www.icipaints.co.uk/colours/duluxtrade/palette/notation.jsp（英語）

Hex値（16進法のコード）

　Web上で使える色をデジタルコード化したカラー・システムで、オンラインコンテンツやスマホアプリデザインの需要拡大により人気が高まっている。色はRGBの三原色と16進法のコードで指定する。Hex値で色を検索できるツールはオンライン上に数多くある。

　→ 参考サイト：www.colorhexa.com

RAL（ラル）カラーチャート

　ヨーロッパをはじめ世界の建築・インテリア分野、工業塗装等に使われる標準的なカラーモデル。

　→ 公式サイト：www.ralcolorchart.com

多彩な色を細かく分類したパントンの色見本帳

用語集

無彩色の、無色の、彩度のない／
Achromatic
黒、白、グレイのみを使用し、色みがないこと。
無彩色には彩度がなく、黒と白とその中間の
色だけがある。

生物学的染料／Biological Dye
バクテリアや藻類など、色素を素材に着色す
ることができる生物。(p.238「リビング・ライラッ
ク」参照)

彩度(クロマ)／Chroma
彩度とは色の純粋さ、鮮やかさのこと。最も
純粋で彩度の高い「純色」にはグレイが含ま
れていない。高彩度の色は混じりけがなく澄
んでいて、明るく輝くように発色する。

クロマティック・ダーク(有彩の暗さ)／
Chromatic Dark
印象派の画家たちが実践し有名になったク
ロマティック・ダークとは、無彩色の黒を使
わずに多くの異なる色相を混ぜて黒に近い暗
さを表現すること。
例:p.284「オブシディアン」もクロマティック・
ダークの一種。暗い色調の赤、青、緑が混
ざり合っている。

対比、コントラスト／Contrast
異なる2色の間に生まれる視覚的な衝突や
振動のこと。通常、色相環の対向にある色
同士、またはできるだけ離れた位置にある色
同士のコントラストが最も強い。つまり、色
相環における距離が遠いほど対比がはっきり
し、近いほど衝突が少ない。

デサチュレーション／Desaturation
色の彩度を特定の割合に基づいて的確に下
げるためにアーティストが使用する専門用語。

2色の、デュオトーン／Duotone
2色だけを用いた配色のこと。
二色網版(デュオタイプまたはデュオグラフ)
という印刷手法が起源。

染料／Dye
水などに溶かして素材の染色に用いる有色
の物質。

アースカラー／Earth Colours
天然の土壌にある土や粘土に由来する色。
酸化鉄なども含まれる。(p.54「レッドオー
カー」、p.298「バーントシェンナ」参照)

染色堅牢度 ／ Fastness

染色・着色した色素の繊維等の素材への定着度を指す用語。変色や退色に対する抵抗性を指す。

色あせしやすい ／ Fugitive

色あせしやすい色素には耐久性がなく、時間の経過やさまざまな環境要因、色素自体の化学成分が原因となり変色や退色をする。こうした例は過去の歴史的なアート作品に見られる。（p.120「フェイデッド・サンフラワー」参照）

釉薬 ／ Glaze

陶磁器をつくるときに表面にかけて焼くと薄い透明・半透明の層ができて色みが変わる薬品のこと。（p.296「天目」参照）

グレイスケール ／ Greyscale

黒と白とその中間の何段階かのグレイのみを用いる色の表現方法。

調和、ハーモニー ／ Harmony

互いになじみやすく穏やかな視覚美を生み出す配色。通常、色相環で近い位置にある色同士、純色が似ている色同士が調和を生む。類似色（アナロガス）や色相環で対向にある色と隣り合う色でつくるグループ（スプリット・コンプリメンタリー）が美しく調和しやすい。

隠蔽力 ／ Hiding Power

色や色素が下地の色を覆い隠す能力。不透明度。（次ページ「不透明度」の項目も参照）

色相、色合い、色みの性質 ／ Hue

青系、黄系、緑系などのようにグループ分けできる色みの性質・色合いを色相と呼ぶ。より複雑な色みを伝えるために、ほかの語と組み合わせて使う場合もある。例：「黄緑の（イエローグリーン）」「柔らかい黄色の（ソフトイエロー）」「酸味のある黄色の（アシッドイエロー）」

インク ／ Ink

有色の粒子や微粒子を含んだ液体。主に筆記や印刷に使用する。

無機顔料 ／ Inorganic Pigment

天然の鉱石や金属由来の不溶性顔料。

虹色、玉虫色、イリデッセンス ／ Iridescence

羽、真珠、油などの表面が光線の角度や状況によって異なる色合いに見える自然効果。（次ページ「構造色」の項目も参照）

レーキ顔料 ／ Lake Pigment

有機顔料に媒染剤（通常、金属など不溶性の化合物）を組み合わせてつくる顔料。

明るさ、明度／Lightness
光が反射して眼に入る量により明るさが決まる。薄い色ほど多くの光を反射し、明るく見える。実際の物質に含まれる色素が少ないほど明るい色に見える。（輝度ともいう。）

発光／Luminescence
光が吸収されるよりも反射される量が多いときに生じる効果。

メタリックカラー／Metallic Colour
金属の電子配置や光との相互作用によって表面に独特の輝きや光沢が生まれる色。

**モノクロマティック、同一色相配色／
Monochromatic**
ひとつの色相だけを用い、明度の違いで組み合わせる配色のこと。

**抑えた（落ち着いた）、灰みの／
Muted or Greyed-off**
ある段階のグレイを加えた色み。

ニュアンス、あや、陰影／Nuance
トーン（色調）や色相、感覚の微妙で繊細な違い。

不透明（性）、不透明度／Opacity
色や素材の塗りつぶし度、透明性・透過性のなさを示す。完全に不透明に塗りつぶされた表面では、下地の色や光がまったく見えない。

有機顔料／Organic Pigment
野菜や草花などの植物由来、動物由来、そのほか有機化合物から成る不溶性の顔料。

薄い、淡い、ペール／Pale
白を多く含み、彩度の低い色調。

顔料／Pigment
着色に用いる粉末で不溶性のもの。油などの溶媒と混ぜ、素材の表面に定着させて色付けする。

ポリクロマティック、多色の／Polychromic
複数の異なる色相や色調を使った表現。マルチカラーとも呼ばれる。2種類以上の波長の光を使った表現。

**（色の）濃さ、深さ、ディープさ、リッチさ
Richness**
黒を含む暗めの濃い色調。ダークブラウンなどはリッチな色と表現される。

彩度、サチュレーション／Saturation
色の鮮やかさを表し、各色相の最も彩度の高い色を純色とする。

**シェイド、色合い、暗清色の度合い／
Shade**
純色に黒または補色（色相環の対向位置にある色）を混ぜ合わせて明度を低めた色。「色合い、色み（Hue）」と同じ意味でも使われる。

構造色／Structural Colour
物体の微細な構造により光が分散したり干渉し合ったりすることで生じる発色現象。自然界において鳥や昆虫の羽などに見られ、その仕組みを人工的に模倣するバイオミミクリー（生物模倣・生態模倣）で再現することができる。（p.260「パール」参照）

基板、表面／Substrate
顔料や染料が塗られたり、染み込んだりする素材の表面のこと。

**合成の、人工の、シンセティック／
Synthetic**
2種以上の元素から化学的・あるいは生化学的につくられた化合物のこと。人工的な色を着色するものを合成着色料・人工着色料という。

**ティント、パステル調の、明清色の度合い／
Tint**
純色に白を混ぜ合わせて暗度を低めた色。

トーン、色調／Tone
純色にグレイを混ぜ合わせて濁りのあるニュアンスを加えた色、色調。

透光性、トランスルーセント、トランスルーセンシー／Translucency
色や素材の半透明性を表す用語。透光性のある素材は透明ではなく、すりガラスのように濁りがあり、薄く色がついている場合もある。

透明性、トランスペアレント、トランスペアレンシー／Transparency
色や素材の透明性を表す用語。透明性のある素材は完全に透き通って見えるが、薄く色がついている場合もある。

アンダートーン、基調色／Undertone
表面上はっきりとは見えないが基調として存在している色みのこと。例：植物を表現するようなダークグリーンは不透明度が高いと冷たい印象を与える。だが、透明度を上げると基調色に温かいイエローの存在が認められる。

明度／Value
色の明度の相対的な値。

**廃棄物を原料とする色、リサイクルカラー／
Waste Colour**
ゴミとみなされるものや不要な副産物、産業廃棄物、食品廃棄物などからつくられた色。（p.276「スラグ」、p.54「レッドオーカー」参照）

The Colours

色事典

レッド Red

　人類が赤色とともに歩んできた歴史は長い。赤の顔料は手に入りやすいこともあり、太古の人々が洞窟の壁に色をこすりつけて動物や人物を描き始めたとき、黒と白以外に初めて使った色が赤だった。それ以来、赤はいつも私たちにとって大事な色であり続けている。赤から連想されるものは多い。たとえば、血、情熱、危険、怒り、愛、気高さ、戦争など。そのいくつかは、もしかしたら赤のイメージがつきすぎてしまったかもしれない。

　緑が心落ち着く色なのに対して、色相環で反対側にある赤は「活動的」だ。赤い色は人々の注目を集め、意識を向けさせる。ほかの色よりも前に飛び出してくるように見え、胸をドキドキさせる——おそらく本当に。赤いユニフォームのスポーツチームや競技者は、ほかの色のユニフォームの選手たちよりも有利であるとの仮説が唱えられてきた。2013年に発表された論文によれば、赤色は「心拍数を高め、力を発揮させやすくする可能性がある」（脚注）。もともと自然界には緑色が多い中で、赤色は傷んだもの、毒性のあるものの目印として、それを食べようとするものに警鐘を鳴らす。また、赤色は交尾相手や授粉してくれるものを惹きつけ、子孫を残すためにも進化した色だ。だから、赤は注目を集め、目立つ色であることに間違いはない。

　だが、それだけではない。土に含まれる微妙な赤や、ローズウッドの樹皮に見られるような深くくすんだ赤も忘れてはならない。赤のつやのある色合い、土壌を想起させる色調は、アジア文化圏の多くで昔から象徴的な意味を持っていた。日本では古代からアカネ（茜）などの植物由来の赤色を使ってきた。また、辰砂という鉱物は朱の顔料として大切に扱われた。火山活動に由来する鉱物のため、不老長寿の霊薬とも考えられたのだ。赤の顔料は人類の歴史が始まったばかりの頃から衣服や化粧に用いられ、器や装飾品にも使われた。また、朱色は現在でも神社を守る鳥居などに使われている。

* Dreiskemper *et al*, 2013, 'Seeing Red at the Olympics', Oxford Psychology Team, 1 September 2016

キリスト教の歴史において、赤はキリストの血を象徴する。13世紀以降、カトリック教会で教皇に次ぐ高位の聖職者である枢機卿（すうきょう）は、その高い地位のシンボルとして真紅（しんく）の帽子を身につけた。しかし、宗教改革が起きてプロテスタント教会が勢力を持つようになると潮目が変わった。真紅は罪の色、特に欲望の色とみなされ、乱交のイメージに結びつけられたのだ。

それでも、鮮やかな赤色の人気は衰えず、皇帝や王族が好んで身につけた。現在では映画スターがレッドカーペットの上を歩き、セレブリティが好んで履くルブタンのシューズは赤い靴底が印象的だ。その一方で、自然を想起させるような古来の赤も忘れてはならない。地に足のついた落ち着きのある赤色は現代のデザインにも欠かせず、バランスの取れたエネルギーを感じさせてくれる。

レッドオーカー Red Ochre

起源と歴史

レッドオーカーは酸化鉄を多く含む天然土で、文明の創始期から人々が使用してきた古代顔料である。先史時代には墓に装飾をほどこしたり、なめし革に色付けをしたり、洞窟の壁に絵を描いたりするために使われた。後期石器時代の赤い壁画は世界中に見られ、人類が生まれながらにして持つ色彩感覚とレッドオーカーという顔料の安定性・普遍性が証明できる。

天然顔料のレッドオーカーは長い間、芸術家たちに親しまれてきた。ミケランジェロやレンブラントはチョーク型のレッドオーカーを愛用していたという。19世紀に入ると化学合成による人工的な絵の具がつくられるようになった。天然顔料は産地や生産方法により品質にばらつきがあったため、より再現性にすぐれ、発色も鮮やかな合成絵の具がもてはやされた。合成酸化鉄の色料は現在でも使われている。マルス・レッド（Mars Red）、インディアン・レッド（Indian Red）、ベネチアン・レッド（Venetian Red）、イングリッシュ・レッド（English Red）などがそれにあたる。

現在

レッドオーカーの深みのある赤色は近年また脚光を浴びている。大地を連想させる原始的なイメージが好まれ、最新のインテリアや建築に取り入れられるようになった。2016年にフランスの建築事務所「アトリエO–S」がフランスのリュグラン村に建設した学校のデザインには、村の家々の屋根の色と調和するように、地元産の酸化鉄で赤く染めたコンクリートや錆びた鉄板をふんだんに取り入れた。

酸化鉄はアルミニウムの製造工程でできる副産物でもある。たいていは廃棄物として埋立地に捨てられ、やがては河川に流出してしまう。リトアニアのデザイナー、アグネ・クチェレンカイト（Agnė Kučerenkaitė）は環境保全と資源の有効活用を意識し、こうした金属廃棄物を粘土や釉薬に混ぜ込み、セラミック作品の制作に活かしている。

カラーコード
Hex値：#963522
RGB：150, 53, 34
CMYK：0, 65, 77, 41
HSB：10°, 77%, 59%

別名
・レッド・アース（Red Earth）
・レッド・オキサイド（Red Oxide）
・レッド・ソイル（Red Soil）

イメージ
・原始的な
・自然な
・落ち着いた

**アート・デザイン・文化に
見られるレッドオーカー**

・絵画《さらされた絵画 白地に
ペインズ・グレイ／イエロー・
オキサイド／レッド・オキサイ
ド Exposed Painting
Paynes Grey/Yellow Oxide/
Red Oxide on White》
カルム・イネス 1999年
・床材《テッセラ・アーススケイ
プ Tessera Earthscape》
フォルボ・フロアリング 2019年
・セラミック《「赤泥」プロジェク
ト 'Red Mud' project》
Studio ThusThat 2020年

《無知は幸福 Ignorance is Bliss》
アグネ・クチェレンカイト 2016年

ヒント

　大地を想起させる美しい赤のバリエーションを楽しもう。ほか
の色と組み合わせる場合は、ハチミツ色、ブロンズ、焼けたよう
な錆色など、暖色系でまとめると落ち着いた雰囲気に。安定感
を重視する空間・作品づくりに活かしたい。

深みのある赤色は
近年また脚光を
浴びている。
大地を連想させる
原始的なイメージが
好まれ、最新の
インテリアや建築に
取り入れられるように
なってきた。

レマン湖のほとりに建つリュグラン
村の学校《Lugrin School》
Atelier O-S 2016年

サフラワー（紅花色）Safflower

起源と歴史

　ベニバナは昔から人々の身近にある植物だ。紀元前2500年頃のメソポタミア文明でも栽培されていたことが知られ、古代エジプトでは花びらを使って布を赤や黄に染めていたという。4000年前のミイラにはベニバナのガーランド（花輪）が添えられていた。この花はやがてアジアに伝えられ、さらにはシルクロードを経由してヨーロッパにもたらされた。ベニバナから採れる赤いカルタミンという色素は、化粧、織物、食品など、幅広い用途に使われた。

　日本では「紅」と呼ばれ、芸者たちが口紅として使用した。最高級の口紅は緑がかった玉虫色をしていたという。玉虫色の口紅は水に溶けると鮮やかな赤系の色に変わる。その色はつける人の肌色に反応して、オレンジみを帯びた赤からピンクまで、さまざまな色に変化したという。

現在

　植物由来の染料は光に弱く色あせしやすい。ベニバナ由来のカルタミン色素も同じで、19世紀に合成着色料が登場すると、鮮やかなマゼンタなどに人気の座を譲った。しかし現在、天然素材の良さが再び見直されている。京都伏見の染色工房「染司よしおか」の5代目当主・吉岡幸雄は、ベニバナを含む植物由来の伝統染料の魅力を現代に伝えている*。

　昔ながらの紅文化が失われつつある日本で、現在もたった1軒だけ営業を続けている紅屋がある。それが、1825年創業の「伊勢半本店」だ。この店では最高品質の玉虫色の口紅をつくり続けている。色が変わる口紅といえば、コスメティックブランド「シャーロット・ティルブリー（Charlotte Tilbury）」が限定発売した「Glowgasm（グロウガズム）」もある。このリップスティックはつける人の肌色や唇のpH値に反応して仕上がりの色が変わる。

カラーコード
Hex値：#b7454d
RGB：183, 69, 77
CMYK：0, 62, 58, 28
HSB：356°, 62%, 72%

別名
・カルタミン・レッド
　（Carthamin Red）
・チェリーレッド（Cherry Red）
・紅（Beni Red）
・ゲイシャ・レッド（Geisha Red）

イメージ
・美
・情熱
・セレモニー

アート・デザイン・文化に
見られるサフラワー（紅花色）
・浮世絵版画《江戸の花 娘浄
　瑠璃 紅葉》喜多川歌麿
　1803年頃
・絵画《日本の女性
　A Japanese Woman》
　ヨゼフ・パンキェヴィチ
　Jozef Pankiewicz 1908年
・書籍『Job Parilux: Skin』
　リー・エデルコート＆アントン・
　ベーケ Li Edelkoort &
　Anthon Beeke 1997年

*訳注：吉岡幸雄氏は2019年9月に逝去されました。

《富貴草園遊覧》歌川国貞
1849-52 年

ヒント

　歴史から学ぼう。寒色系の背景に生命力と暖かさを感じさせ
る赤をアクセントとして使用すると視線が集まる。幾層にも色を
重ねる日本の伝統美に習い、明暗差をつけた紅色のトーンを使
い分けてみるのもいい。

スカーレット Scarlet

起源と歴史

　燃え盛る炎のようなスカーレットは人にさまざまなものを連想させる。歴史的には「女性」と「性」を結びつける例が多かった。昔も今も人気のある色で、力強さや精神力の高さを伝えてくれる。

　古くから存在するこの色に「スカーレット」という名前がついたのは後になってからだった。13世紀に初めてこの単語が使われたとき、それは色ではなく鮮やかに彩られた高級な織物を指していた。以前は、色の原料であるケルメス（Kermes）というヨーロッパ原産のカイガラムシにちなみ「クリムゾン」と呼ばれていた。雌のケルメスを乾燥させてすりつぶした赤の顔料は古代メソポタミア文明で使われ、古代エジプト、古代ギリシャ、古代ローマにも普及した。その後ヨーロッパ人が16世紀に新大陸アメリカを発見するまで、ケルメスを原料とする赤色は広く愛用された。（p.64　「カーマイン」参照）

　スカーレットは絵画にも盛んに使われたが、残念ながら耐光性がなかった。そのため今の時代に見ることができるターナーやルノワールの作品に使われたスカーレットは当初と同じ色ではない。

カラーコード
Hex値：#d62220
RGB：214, 34, 32
CMYK：0, 97, 85, 0
HSB：1°, 85%, 84%

別名
・クリムゾン（Crimson）

イメージ
・パワー
・自信
・欲望

アート・デザイン・文化に見られるスカーレット
・絵画《レッド・カンナ Red Canna》ジョージア・オキーフ 1924年
・写真／デザイン《Dior コスメティック・キャンペーン》ギイ・ブルダン 1972年
・ファッション《1985年 春夏コレクション 'Mini-Crini'》ヴィヴィアン・ウエストウッド 1985年

《エリザベス1世の肖像　Portrait of Elizabeth I》 スティーブン・ファン・デル・ミューレン　1563年

現在

19世紀にはアリザリン・クリムゾンと呼ばれる合成顔料が開発され画家たちがこぞって使用した。20世紀に入る頃には人工的な顔料・染料が一般的になり、新大陸発見後にケルメスに代わって人気を博していた高価な中南米産カイガラムシ（コチニール）を原料とするカーマインもあまり使われなくなった。しかしスカーレットの魅力は薄れることなく現代にも受け継がれている。1980年代にはフェラーリが燃えるような赤い車体のスポーツカーを発売した。また、ファッション・フォトグラファーのギイ・ブルダンが手がけたディオールのキャンペーンも、スカーレットを効果的に配色して一世を風靡した。

時代の移り変わりとともに色の使い方も変わる。現代アメリカを代表するストリートアーティスト、シェパード・フェアリーが2008年の米大統領選挙でバラク・オバマを支持するために制作したポスターでは、スカーレットの赤がオバマ前大統領のポジティブで前向きなメッセージを国民に力強く伝えた。また、ファッション界ではヴィヴィアン・ウエストウッド、シャネル、新星のクロマットなどが、女性の社会的地位向上（エンパワーメント）を提唱するためにこの色を取り入れている。クロマットの2020年春夏コレクションで最も喝采を浴びたのはスカーレットのシリーズだった。

ヒント

従来のドレスコードにとらわれず、たとえばホットなスカーレットとクールなスカイブルーを組み合わせてみよう。ハッと息を飲むような新しい時代性を感じさせる配色ができる。

時代の移り変わりとともに色の使い方も変わる。

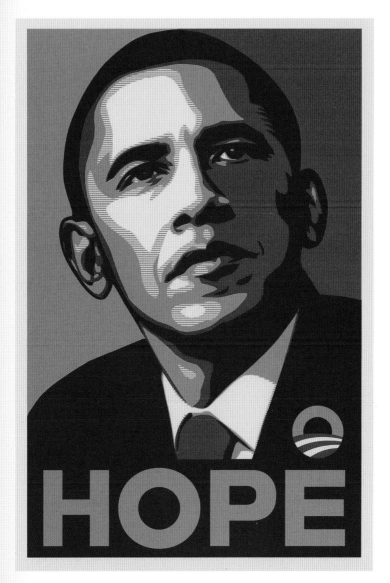

《希望 Hope》シェパード・フェアリー 2008 年

カーマイン Carmine

起源と歴史

　ヨーロッパでは鮮やかな真紅(しんく)の顔料は希少で高価だった。だが、アメリカ大陸には「コチニール（Cochineal）」というカイガラムシから採れる赤色の顔料が豊富にあった。コチニールはヨーロッパ産のカイガラムシ「ケルメス」と似たような昆虫で、少なくとも紀元前3世紀には中南米のメソアメリカ文明で着色料として盛んに使われていた。16世紀にスペイン人が新大陸アメリカに到達すると、アステカ文明を彩る赤色の美しさに驚嘆した。そこでスペイン人は新領土を征服した後、コチニールをヨーロッパに持ち帰った。

　コチニールはケルメスよりも効率的かつ安価に顔料を採ることができた（とはいえ、1ポンド＝約450グラムの顔料をつくるためには7万匹のコチニールが必要とされた）。コチニールは発色がより鮮やかで幅広い用途に使え、光への耐性もあった。そのため、ヨーロッパに持ち込まれると一気に人気を博し、大英帝国の王族や貴族もコチニールで着色した衣装を好んで身にまとった。

現在

　合成着色料が普及した現在、昆虫コチニールから採れる赤色は「カーマイン」という名称で主に食品の着色に使われている。しかし、自然環境保護への関心の高まりから天然色料の良さを見直す動きがあり、カーマインも再び注目されている。デンマーク人アーティスト、ジューリー・レンコルム（Julie Laenkholm）はカーマインなどの天然染料で羊毛や絹を染めてアート作品を制作し、有機素材の価値を発信している。

ヒント

　コチニールはスカーレットに似た赤を生み出すことで注目されたが、実際にはより豊かで幅広い色合いを表現できる。カーマインの明度や彩度を変えてトーンの違いを楽しもう。赤系とは思えないほど優しく穏やかなニュアンスを出すこともできる。

カラーコード
Hex値：#841422
RGB：132, 20, 34
CMYK：30, 100, 79, 37
HSB：353°, 85%, 52%

別名
・コチニール（Cochineal）
・クリムゾン・レーキ
　（Crimson Lake）

イメージ
・名声
・豊かさ
・ナチュラル

アート・デザイン・文化に見られるカーマイン
・絵画《聖トマスの不信 The Incredulity of Saint Thomas》カラヴァッジョ 1601-2年頃
・ファッション《2016年秋冬プレタポルテコレクション》クローバー・キャニオン 2016年
・テキスタイルアート《Untitled》ジューリー・レンコルム Julie Laenkholm 2018年

コチニール色素で染めたテキスタイルの一部 ペルー・レクアイ文化 4-6世紀頃

バーミリオン Vermillion

起源と歴史

　硫化水銀を主成分とする無機顔料、あるいは辰砂（しんしゃ）という天然顔料から生まれる朱色をバーミリオンと呼ぶ。古くから広い地域で使われてきたため、多様な文化圏で象徴的な意味を持つ色。古代ローマではフレスコ画や化粧などさまざまな用途に使われた。特に戦で勝利を収めた軍人が凱旋（がいせん）するときにバーミリオンで顔にペイントをほどこしたため、「血と戦」のイメージがついた。語源はラテン語で虫を意味する*vermis*（ウェルミス）で、同じ赤系のスカーレットの原料となるケルメス（カイガラムシ）と関連づけられたようだ。（p.60　「スカーレット」参照）

　中国では辰砂が豊富に採れ、朱色の墨汁や化粧品など多様な目的に使われた。なかでも、美しい模様を彫り込んだ箱や道具に朱色の漆を塗布した工芸品、朱漆（しゅうるし）が有名である。朱漆の赤色は「チャイニーズ・レッド」とも呼ばれた。また、古代インドでは、結婚式の日に新郎が新婦の額（ひたい）に「既婚のしるし」としてバーミリオンで色をつけた。これをシンドゥール（*sindoor*）という。皮膚につけるものなので、現在ではより安全な染料を使用している。だが、時代の流れとともに、女性の額の赤いしるしは女性蔑視や家父長制度の象徴とみなされるようになってきた。

現在

　中国では古代に水銀と硫黄の化合物から辰砂の色が再現できることが発見され、いち早く合成顔料が誕生した。現在、明るい朱色といえばバーミリオンよりもカドミウム・レッド（＝「ホット・トマト」 p.74参照）の方が一般的に使われている。とはいえ、バーミリオンも独自の歴史を刻んでいる。デザイナー、クリスチャン・ルブタンのシューズは「チャイニーズ・レッド」の赤い靴底がトレードマークである。欧米ではこの色をルブタンだけが靴底に使用できるよう商標登録に成功した。中国の朱漆からインスピレーションを得たルブタンの赤い靴底（Pantoneカラー18-1663TP）は、ティファニー・ブルーやUPSブラウンのようにブランドイメージに直結する色になった。

カラーコード
Hex値：#d6441b
RGB：214, 68, 27
CMYK：0, 65, 77, 41
HSB：13°, 87%, 84%

別名
・シンドゥール（Sindoor）
・シナバー／辰砂（Cinnabar）
・チャイニーズ・レッド（Chinese Red）

イメージ
・強さ
・献身
・ラグジュアリー

アート・デザイン・文化に
見られるバーミリオン
・リトグラフ《赤い楔で白を穿て
　Battre les Blancs avec le Coin
　Rouge》エル・リシツキー 1919年
・書籍／グラフィックデザイン
　『グラフィックの基本マニュアル
　（Graphic Standards Manual）』
　New York City Transit
　Authority 2016年
・ミクストメディア・アート
　《My Moon II》Hayoon Jay Lee
　2016年

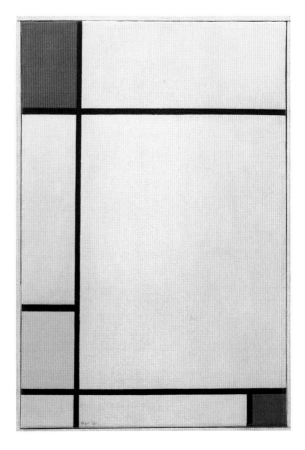

《赤、黄、青のコンポジション C No.III
／Composition No.III; Composition
with Red, Yellow and Blue》
ピエト・モンドリアン 1927年

ヒント

　大胆な視覚効果を狙いたいデザイン、道案内のサインなどに
最適。黒・白・バーミリオンの配色はコントラストがはっきりとし
ていて目立ちやすい。

色漆 Iro-Urushi

いろうるし

起源と歴史

　色漆とは、日本、中国、韓国、東南アジアの国々で数千年前から美術工芸品に用いられてきた塗料の一種である。ウルシ科ウルシ属の落葉高木から丁寧に採取した樹液に顔料を加えて色をつけたもの。色数は少なく、主に赤と黒とその組み合わせで奥行きのある色みを表現する。（色漆の語源は「色つきの塗料」という意味。）

　日本の職人は黒と赤の色漆を交互に60回以上塗り重ねることもある。一層ごとに慎重に塗ってはよく乾かし、表面を磨いて独特の模様と光沢をつけてから次の層を塗り重ねる。色漆を塗るのは装飾的な理由からだけでなく、防水効果や堅牢度を高める意味もある。その証拠に、日本では9000年前の出土品にも漆の跡がみとめられている。

現在

　漆工芸の歴史は古く、熟練の職人技が素材やデザインの進化にもつながった。また、漆塗りの技術は、エナメルなどほかの光沢のある塗料を扱う際にも応用された。漆を使った作品で知られる現代アーティスト・石塚源太は、つややかで奥行きのある質感にこだわり、赤でもなく黒でもない瞑想的な異彩を放つ作品群を生み出している。

ヒント

　光沢のあるはっきりした黒に透明感のある深い赤を重ねると古（いにしえ）の伝統美を感じさせる表現になる。リトグラフ（石版刷り）にも向いている。時代を超えて愛されるブランドのイメージづくりに最適。

カラーコード

Hex値：#330909
RGB：51, 9, 9
CMYK：0, 82, 82, 80
HSB：0°, 82%, 20%

イメージ

・深み
・永遠
・高品質

アート・デザイン・文化に見られる色漆

・漆工芸《輪島塗 赤椀》
　角 偉三郎 1989年
・彫刻《スクリーン Screen》
　アニッシュ・カプーア 2008年

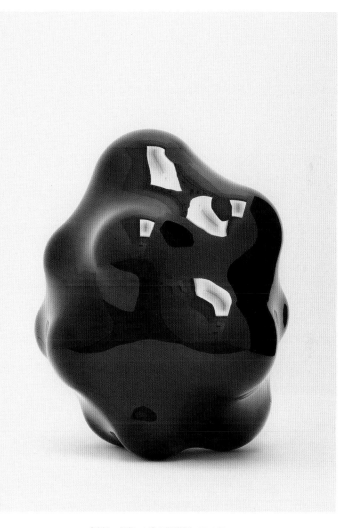

《感触の表裏 #12》石塚源太 2019年

マダー（茜色）Madder

起源と歴史

　マダーは日本の「茜色」に相当し、その原料となる植物アカネも英語ではマダー（madder）という。アカネは古くからアジアや中東の山野に自生するつる草で、人々は3500年以上前から、この植物の根を原料とする赤色を使用していた。アカネの根を煮るとプルプリンやアリザリンなどの天然色素が抽出でき、その染料で布を染め、壁画を描き、装飾品を彩った。

　マダー（アカネ）は13世紀にヨーロッパに伝わり栽培されるようになった。しかし、色の出方が一定でなかったり、日光で退色したりすることもあり、昆虫由来のスカーレット（p.60参照）の方が高価でも人気があった。その後、18世紀になるとオスマン帝国から「トルコの赤」と呼ばれる新しいマダーが輸入されるようになった。（実際にはトルコ産ではなくインド産だったという。）ヨーロッパの染色職人たちはトルコの赤の深い色合いに魅了されたが、残念ながらオスマン帝国は生産方法を門外不出とした。そのため、ヨーロッパの人々がその色を再現することはできなかった。

現在

　植物の根から色料をつくるには大量の根が必要とされる。産業開発や需要の増加にともない、マダーも合成色料で代用されるようになった。化学合成されたその色は「アリザリン・クリムゾン」の名前で流通している。しかし、合成色料をつくる過程で生じる水質汚染の問題と自然環境保護への関心の高まりを受け、染色業界では環境に優しいサステナブルな製造方法への大規模な切り替えが検討されている。そのなかで、アカネを含む伝統的な植物由来の色が改めて見直されている。

ヒント

　オレンジやローズへとうつろう茜色の自然な風合いを楽しもう。黄色をアクセントに使うと革新的でいきいきとした表情になる。

カラーコード
Hex値：#a34836
RGB：163, 72, 54
CMYK：0, 56, 67, 36
HSB：10°, 67%, 64%

別名
・ターキッシュ・レッド／トルコの赤（Turkish Red）
・ローズ・マダー（Rose Madder）
・プルプリン（Purpurin）
・アリザリン（Alizarin）

イメージ
・慎み深い
・伝統的
・エコロジカル

アート・デザイン・文化に見られるマダー
・ポンペイ遺跡のフレスコ画 ヴィーナスの家（Casa Della Venere, Pompeii）イタリア 79年頃
・ブロックプリント・テキスタイル《サリーを着た女と孔雀と花模様　Woman in a sari with peacock and floral border》Archibald Orr Ewing and Co. 1870年頃
・インテリア・テキスタイル《いちご泥棒　Strawberry Thief》ウィリアム・モリス 1883年

王家の谷 ラムセスⅠ世とアヌビス神 ルクソールの壁画 エジプト第19王朝

ブラッド・レッド Blood Red

起源と歴史

　犠牲、暴力、勇気、痛み……。血の色（ブラッド・レッド）は感情をゆさぶる強いシンボリズムと結びつけられた。中世美術では本物の動物の血を絵の具の代わりに使うことさえあった。地獄の炎、高らかに笑う悪魔、恐ろしい幻獣の毛皮や翼などが、この色で描かれた。ブラッド・レッドは、別名「竜の血（Dragons' Blood）」と呼ばれる赤い顔料と同じだと考えてよい。竜の血という顔料は、紀元前3年から紀元後2世紀頃にかけて南アラビアから香料や香辛料を運んだ「香料の道」を通ってヨーロッパにももたらされた。

　中世時代、この顔料は本当にドラゴンの血、あるいは少なくともゾウの血でできていると信じられていた。天然鉱物の辰砂から採れる赤色もしばしば「竜の血」と呼ばれたが、それは火山活動に関係のある鉱物だったからだと考えられる。ブラッド・レッドの正体はアフリカや南アジアに自生する「リュウケツジュ（竜血樹）」という植物の樹液である。

現在

　赤色は人間の心拍数を高め、血流を促し、体温を上げるという科学的調査結果が出ている。赤が情熱と結びつけられるのも不思議ではない。メキシコ人の画家フリーダ・カーロは色が持つシンボリックなイメージに心奪われていた。血を思わせる赤色は、彼女の作品の特に重要な部分に使われる。《自画像：記憶、心臓》では、民族衣装のブラウスと、切断された心臓からドクドクと流れる血にこの色が使われている。この作品は、愛する夫の裏切りに傷ついた心と憤りを表現している。

ヒント

　スプリット・コンプリメンタリー（分裂補色配色）の手法を参考にして、海のような青や草原のような緑と組み合わせてみよう。生命を感じさせる色同士の象徴的な配色ができる。

カラーコード
Hex値：#78001b
RGB：120, 0, 27
CMYK：31, 100, 79, 45
HSB：347°, 100%, 47%

別名
・ドラゴンズ・ブラッド／竜の血
　（Dragons Blood）

イメージ
・犠牲
・情熱
・避けられない死

アート・デザイン・文化に見られるブラッド・レッド
・絵画《最後の審判 The Last Judgement》ヒエロニムス・ボス 1482年頃
・インテリアデザイン《エルメスUKロンドン店 2013年デザイン》Studio Toogood 2013年
・ファッション《2015年春夏ウィメンズ・コレクション》アントニオ・ベラルディ 2015年

《自画像：記憶、心臓 Self-Portrait; Memory AKA the Heart》
フリーダ・カーロ 1937年

ホット・トマト Hot Tomato

起源と歴史

　永遠に色あせない鮮やかな赤、真っ青な空の色。望み通り
の色を手に入れたいと願う探究心が化学者の魂に火をつけ、さ
まざまな新色が生み出されてきた。18世紀には亜鉛族元素のカ
ドミウムを原料にして、黄色から赤にかけての暖色系合成色料
が次々に登場した。そのうちの1つが1919年に生産開始したカド
ミウム・レッド（ホット・トマト）だった。不透明性や彩度が高く
耐光性があるため、従来のバーミリオン（p. 66参照）に代わっ
てアーティストたちの間で人気が高まった。

　オレンジがかったトマトのような発色は「ホット」な印象でイン
パクト抜群だとして、1960年代から70年代にかけてのデザイナー
たちが多用した。このホット・トマトは特に、エポキシ樹脂やポ
リウレタンなどの新しい素材と組み合わせて使われた。ヴィトラ
（Vitra）、B&Bイタリア、カルテル（Kartell）などの高級インテリ
アブランドがこの色を主力商品に取り入れて一躍脚光を浴びた。
またプラスチック成形技術の発達にともない、工業デザイナーの
ジョエ・コロンボがモダン照明器具や椅子にこの色を使用した。
1968年に開催されたメキシコシティ・オリンピックではグラフィッ
クデザイナーのランス・ワイマンがデザイン担当に起用され、ホッ
ト・トマト、ラベンダー、グラス・グリーンなどを組み合わせたカ
ラフルなロゴやポスターが祝賀ムードを盛り上げた。

現在

　明るいトマトカラーは急速にいたるところで目にするようになっ
た。大量生産・大量消費時代のニーズに合い、ファストファッショ
ンで飛躍した色だともいえる。時代を反映する色として定着し、
多くの現代アーティストたちが取り入れている。オプティカル・アー
ト（静止しているのにゆらいで見える錯視効果を狙ったアート）の
旗手ブリジット・ライリーも、個性的で遊び心のある作品にこの
インパクトのある色をうまく活用している。

カラーコード
Hex値：#ff6844
RGB：255, 104, 68
CMYK：0, 70, 71, 0
HSB：12°, 73%, 100%

別名
・トマト・レッド（Tomato Red）
・カドミウム・レッド
　（Cadmium Red）

イメージ
・自信
・祝賀
・陽気な

アート・デザイン・文化に
見られるホット・トマト
・グラフィックデザイン《メキシコ
　シティ・オリンピックのデザイン》
　ランス・ワイマン　1968 年
・絵画《無題（カドミウム）
　Untitled（Cadmium）》
　ジャン＝ミシェル・バスキア
　1984 年
・絵画《カーニバル　Carnival》
　ブリジット・ライリー　2000 年
・家具《ハロ・チェア　Halo
　chair》マイケル・ソドー
　2014 年

ヒント
　トマトの色はキッチンや食卓で見かけるビタミンカラー。ランス・
ワイマンの配色にヒントをもらって、思わず食べたくなるような
キャッチーなデザインを考えてみよう。

《カルテル社　アームチェア　モデ
ル 4801》合板・ラッカー、
ジョエ・コロンボ　1964 年

トマトを食べるとき、
私はほかの皆と同じように
トマトを見る。

トマトを描くとき、
私はほかの皆とは違う眼で
トマトを見る。
——アンリ・マティス

ローズウッド Rosewood

起源と歴史

　ローズウッドと呼ばれる木肌に赤みのある広葉樹は、東洋では「紫檀（したん）」として知られている。紫檀の工芸品は中国・明王朝の精巧なキャビネットにまでさかのぼるが、現代のインテリアデザインに影響を与えたのは、欧米で20世紀中盤に生み出された、いわゆるミッドセンチュリーモダンの家具に使用されたローズウッドだった。

　ノル（Knoll）社やハーマンミラー（Harman Miller）社に代表されるミッドセンチュリーの家具は、オフィス空間に洗練されたモダンを演出するため、大理石、分厚いガラス板、チーク材、ローズウッド材など、高級感のある良質な素材を組み合わせてつくられた。1950年代にチャールズ・イームズがデザインしたレザーと木材を組み合わせたラウンジチェア＆オットマンは瞬（また）く間にヒットし、アメリカのビジネスシーンにおける1つの成功シンボルとみなされた。

現在

　だが、残念なことにローズウッド材の人気はマダガスカルとブラジルの森林破壊を加速化させた。ローズウッドは現在ワシントン条約で保護種に指定されている。しかし、国連薬物犯罪事務所（UNODC）によれば、世界中の植物のなかでローズウッドが現在最も不正伐採や密輸が多い木材だという。最近ではエシカルなルートで調達した木材にアルカンナという植物の根から採れる赤い染料でローズウッドに似た模様をつけた、環境に優しい代替素材も入手できる。

　オランダ人アーティストのヴァルド・ワイナンツ（Ward Wijnant）は、一本の木に見られる変化に富んだパターンや構造からインスピレーションを受け、環境保全を意識しながら木材の特徴を活かしたアート制作に力を注いでいる。

ヒント

　ローズウッド、紫みのグレイ、クリームを組み合わせたモダンな配色を試してみよう。プロフェッショナル感を醸し出しつつ、暖かみのある空間を演出できる。

カラーコード
Hex値：#b83a3e
RGB：184, 58, 62
CMYK：20, 87, 70, 11
HSB：358°, 69%, 72%

イメージ
・高級感、ラグジュアリー
・地位、ステイタス
・能力

アート・デザイン・文化に
見られるローズウッド
・家具《ラウンジチェア＆オットマン》チャールズ・イームズ 1956年
・家具《ハーマンミラー社 ローズウッド・キャビネット・シリーズ》ジョージ・ネルソン 1956年
・インテリアデザイン「ザ・ネスト（コワーキング・スペース）The Nest, Warsaw」ベザ・プロジェクト Beza Projekt、ワルシャワ 2018年

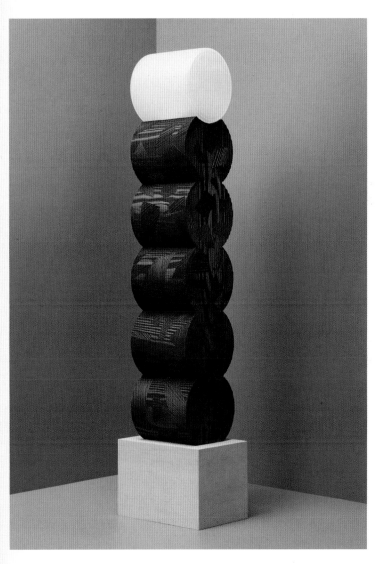

《BLENDプロジェクト》ヴァルド・ワイナンツ Ward Wijnant 2018年

リアクティブ・レッド * Reactive Red

起源と歴史

　赤い色は自然界にも人間社会にも強いシグナルを発令する。彩度を最高度にまで高めた純色の赤は、私たちの脳に「注意」や「警戒」の指令を与える。生物学の理論では、自然界には緑色が多いため、そのなかで目立つ赤色が動植物にとって重要なメッセージを伝えるように進化したのだという。

　20世紀のアメリカでは自家用車が増え、交通事故を減らすための安全対策が必要になった。1913年、エンジニアのジェームズ・ホージは路面電車の送電線から電気を送って赤い光を点滅させる電気信号機を発明した。赤は危険を知らせる「止まれ」、緑は安全に通行できることを示した。それ以来、この赤と緑の電気信号機はいたるところに設置されるようになった。広告や宣伝の分野では、赤いインクはほかよりも目立たせたい部分に使用する。これには科学的根拠もきちんとある。私たちの眼のなかにある受容体のうち、赤を認識するものは中心部にあって、最も鮮明なイメージを形作ることができるのだ。

現在

　現代アーティスト兼シンガーで環境保護主義者のビーティー・ウルフ（Beatie Wolfe）が2020年のロンドン・ビエンナーレ（新型コロナウィルスの影響で2021年に延期）のために制作した映像作品がある。《緑から赤へ From Green to Red》というタイトルのその作品は、NASAが集めた80万年分のデータを解析し、人間の存在がどれほど地球の二酸化炭素濃度の変化に影響を及ぼしているかを視覚化して見せている。鑑賞者が近づくとビデオが自動再生され、緑から赤へと変わりゆく不思議な映像を見ることができる。

ヒント

　緊急度や重要度の高い情報を伝えるとき、リアクティブ・レッドの明度や彩度を段階的に用いて強調すると効果的。

カラーコード
Hex値：#ff323b
RGB：255, 50, 59
CMYK：0, 88, 69, 0
HSB：357°, 80%, 100%

別名
・シグナル・レッド（Signal Red）

イメージ
・危険
・警告
・緊急

デザイン・文化に
見られるリアクティブ・レッド
・アート《EXIT》ダグ・エイケン　2014年
・スポーツシューズ《リアクト・エレメント55》ナイキ　2018年

*訳注：リアクティブ・レッドは「反応を引き起こす赤色」という意味

右：《緑から赤へ From Green to Red》ビーティー・ウルフ 2018年

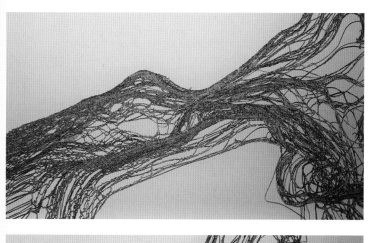

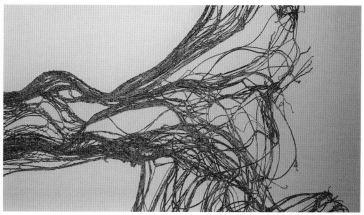

81

レイディアント・レッド *
Radiant Red

起源と歴史

　スマートフォンの液晶画面などから放射されるブルーライト（青色光）は睡眠障害を引き起こすといわれる。では、レッドライト（赤色光）はどうだろうか？　反対に質の良い睡眠をもたらしてくれるのだろうか？　最近の研究結果によると、赤色LED（発光ダイオード）から発せられる光を浴びて就寝すると、翌朝に気持ちよく目覚められるという。

　1876年、オーガスタス・プレソントンは『太陽光の青色光線と空の青色がもたらす影響（The Influence of the Blue Ray of the Sunlight and the Blue Color of the Sky）』という本を発行した。色のついた光を浴びて心身のバランスを調整するという考え方は、実は数千年前から存在する。インド・スリランカ発祥の伝統医療アーユルヴェーダの教えでは、身体には7つのチャクラ（エネルギーが宿るとされる場所）があり、それぞれ異なる色と結びついている。その7つのチャクラから発せられるエネルギーがアンバランスになると体に不調が起きるという。プレソントンもこうした理論に基づき、色付きの光を病気の治療に役立てることができると説明した。これは現代のクロモセラピー（色光線療法）につながるが、当時は一般的に「偽科学」とみなされた。しかし、1893年にはデンマーク人科学者ニールス・フィンセンが光線治療法により皮膚疾患を治せることを証明し、1903年にノーベル生理学・医学賞を受賞している。

カラーコード
Hex値：#ff3403
RGB：255, 52, 3
CMYK：0, 86, 93, 0
HSB：12°, 99%, 100%

別名
・レッド・ライト（Red Light）
・LEDレッド（LED Red）

イメージ
・暖かさ
・癒し
・リラクゼーション

*訳注：レイディアント・レッド「発光する赤色」という意味

アート・デザイン・文化に
見られるレイディアント・レッド
・照明《フィリップス社 リビングカ
ラーズ LEDインテリアライト》
PHILIPS 1990年代

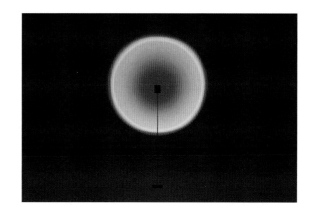

《Halo Edition 照明デザイン
シリーズ Halo ONEモデル》
マンダラキ・スタジオ

現在

　1993年、アメリカのクアンタム・デバイス社がNASA（米航空宇宙局）のためにLEDの研究をおこなった。その研究によると、赤色LEDが発する光は植物の成長を促し、科学者たちの皮膚にできた傷の治癒を早めたという。その後、NASAも独自に研究開発を進めた。その結果、LEDは細胞の代謝を促し、宇宙飛行士たちの骨や筋肉を維持するのに役立つと結論づけた。

　アートやデザインの世界で使われるレイディアント・レッドは感情にはたらきかける。2019年にイタリアの照明デザインチーム、マンダラキ・デザイン・スタジオ（Mandalaki Design Studio）が発表した《Halo ONE》は赤色LEDを使用した光のプロジェクターだ。太陽が沈む瞬間の息を飲むような美しい赤色を投影し、白い光で円状に切り取ることによって最高度の光彩を表現している。

ヒント

　レイディアント・レッドの鮮やかで暖かい色に、同じくらい鮮やかで暖かい黄色を組み合わせよう。人々が集まる活気のある環境のなかで、ほんのひととき立ち止まってエネルギーをチャージできる場所をつくる際に効果的だ。

オレンジ Orange

　活動的な赤色と陽気な黄色を混ぜ合わせてできる中間色のオレンジ。そこに寒色の入り込む余地はなく、究極の暖かみを感じさせる。さまざまな色を組み合わせて調和や対比を表現したいとき、オレンジを入れるとバランスが取れてまとまりやすい。優しげなピーチ、活発なタンジェリン、スタイリッシュなコッパー。オレンジ系の色は多彩で、どれも現代的な印象を与える。

　英語で「オレンジ色」という単語が誕生したのは16世紀のことだった。それまで、古英語には「黄―赤」を意味する*geoluhread*という単語しか無かった。中世初期にオレンジ系の色を表した言葉としては、太陽の色、マリーゴールドの色、ヘロデ王の髪の色という表現が記録に残されている。17世紀の書物には、オレンジ色の染料をつくるのがいかに大変だったかが記されていた。「2オンス（約57グラム）の黄の顔料に灰を混ぜ一晩水につける。翌日それを沸騰させ、30分以上煮た後、粉末状のcuccumi*を1オンス加え、よくかき混ぜる**。」ヨーロッパでオレンジが赤や黄と区別して1つの色相ととらえられるようになったのは、果物のオレンジが16世紀に初めてヨーロッパに持ち込まれてからのことだった。その頃のオレンジは食用に適さず、消毒薬、飾り、あるいは「見えないインク」として使われていた。

　オレンジ色が独自の道を歩み始めるのは、カドミウムやクロムオレンジなどの合成色料が発明されてからになる。遠くからでもはっきりと目立ちやすいので、近代にはライフボートやセキュリティ用のアイテムに使用されたり、自転車に乗る人、道路工事作業員、さらには国際宇宙ステーションの宇宙飛行士たちが着るユニフォームの色に指定された。

　明るいオレンジ色の光を浴びると認知力や危険を察知する能力が上がり、体内時計の改善にもつながるとの調査結果もある。また、夕方に彩度の低いアンバー（琥珀色）の光を浴びると入眠を助けるホルモンのメラトニンが分泌され、リラックスしてよく眠れるという。

*訳注：cuccumi は curcumin のことと考えられる。curcumin とは香辛料のターメリック（和名：ウコン）を指す

** Smith, Godfrey, The Laboratory; or, School of Arts, printed for Stanley Crowder, No.12, in Paternoster-Row, and B. Collins, in Salisbury, 1770

オレンジはまた、光のスペクトルのなかで重要な色彩対比の1つ、青の補色（反対色）という役割を担っている。印象主義の画家から抽象絵画のアーティストまで、これまで多くの芸術家たちが青とオレンジのいきいきとした対比を作品に取り入れてきた。また、最近の映画手法ではバックグラウンドを淡いオレンジやピーチの色調に統一し、登場人物の心情を表そうとするものがある。映画のポスターデザインにも青とオレンジの配色が効果的だ。『アバター』や『ダンケルク』などがその好例である。

オレンジの章：

イエローレッド Yellow-Red

起源と歴史

　イエローレッドとは赤と黄を同量ずつ混ぜた色を指す。果物のオレンジは16世紀に初めて中国からヨーロッパに持ち込まれたが、それ以前には英語にもほかのヨーロッパの言語にも、オレンジ色を示す単語がなかった。「オレンジ」の語源は、サンスクリット語でオレンジの木を意味する単語から派生している＊。果物のオレンジがヨーロッパに到着する以前は「イエローレッド」、あるいは古英語で同じ意味の「geoluhread」という表し方が普通だった。興味深いことに中国語にはオレンジ色を指す単語がないという。

　一方、英語よりもはるかに多くの色の名前を持つ日本語ではどうだろうか。日本人は昔からわずかな色の違いを識別し、その色から連想するものや現象にちなんだ名前をつけていた。日本語には、オレンジ色の柑橘類に由来する「橙」などの色名があるが、ほかに「曙色」という名前もある。これは夜明けの太陽の色を表している。

現在

　夜明けや夕暮れの微妙に変わりゆく空の色や力強い太陽の色は、数千年前から芸術家たちの心をとらえて放さなかった。近代ではカラー・フィールド・ペインティング＊＊の代表的な画家、バーネット・ニューマンが、カドミウム由来のイエローレッドで多くの有名な作品を生み出した。また、アメリカの現代アーティスト、ロバート・ロスも、うつろう空の色と地平線を描く半抽象絵画的なシリーズで、オレンジに明るいアンバーや柔らかいローズを混ぜ合わせて印象的な作品群を制作している。かつてイエローレッドと呼ばれた色は、現在のインテリア塗料のカラーリストでは「燃える夕陽」「オレンジのオーロラ」などのネーミングで掲載されている。

カラーコード
Hex値：#dd5114
RGB：221, 81, 20
CMYK：7, 78, 100, 1
HSB：18°, 91%, 87%

イメージ
・元気づける
・希望に満ちた
・活気のある

アート・デザイン・文化に見られるイエローレッド
・絵画《メイン州モンヒーガン Monhegan, Maine》ニコライ・リョーリフ　1922年
・絵画《東海旭光》藤島武二　1932年
・絵画《風景60 Landscape 60》ロバート・ロス　2013年

＊訳注：オレンジの原産地はインド。インドから中国に渡り、中国からヨーロッパへと伝わった。サンスクリット語でオレンジの木は「narangah」。

＊＊訳注：カラー・フィールド・ペインティング／Color Field Painting 平面的な色の広がりを巨大なキャンバスに描いた絵画作品。1950年代半ばから1960年代にかけてアメリカを中心に台頭した抽象表現主義のムーブメントのひとつ。

《誰が赤、黄、青を恐れるのか III
Who' s Afraid of Red, Yellow
and Blue III》バーネット・
ニューマン 1967-8 年

ヒント

　二次色のイエローレッドは原色の黄や赤に比べると激しすぎ
ず、それでいて十分にインパクトがあり記憶に残りやすい。鮮や
かなイエローレッドに薄いピーチや柔らかいローズを組み合わせ
ると眼に優しくクリエイティブな配色になる。

ダッチ・オレンジ Dutch Orange

起源と歴史

　オレンジ色はオランダの歴史とアイデンティティに深く関わる色である。16世紀、スペイン領ハプスブルク家の統治下にあったネーデルラント（現オランダ）で、国王に反乱を起こして独立を勝ち取ったのがオラニエ公ウィレム（英語名：オレンジ公ウィリアム）だ。オラニエ公のシンボルカラーはオレンジだった。農民たちは従来の紫色のニンジンではなくオレンジ色のニンジンを育てて支持を表明したという逸話も残っている。オランダ独立と強く結びつくオレンジ色は現在でも王室のシンボルカラーになっている。また、オランダ代表サッカーチームのユニフォームもこの色だ。現在の国旗の色は赤、白、青だが、その起源となったオラニエ公の紋章はオレンジ、白、青だったという。昔はオレンジ色を一定の鮮やかさで表現できる色料が手に入りにくかったため、オレンジ色が徐々に赤色に変化したようだ。

現在

　第二次世界大戦中、フランスのファッションブランド「エルメス」が商品を入れる箱をつくるために唯一入手できたのが色あせたオレンジ色の紙だったという。ありあわせの紙を使い、できるかぎりのエレガンスを表現したその色が、現在でもブランドカラーとして受け継がれている。もちろん、今ではより鮮明で深みのある美しいオレンジ色が「エルメス」のアイコンだ。

ヒント

　深みのあるオレンジは高級感やぬくもりを伝える。ブランドイメージに使用すれば特別感が生まれ記憶に残りやすい。補色のアイスブルーやソフトな黒と組み合わせてみてはどうだろう。伝統的な美しさと、唯一無二の存在を印象づけられる。

カラーコード
Hex値：#b15519
RGB：177, 85, 25
CMYK：23, 72, 99, 14
HSB：24°, 86%, 69%

イメージ
・気品
・高級感
・ぬくもり

アート・デザイン・文化に
見られるダッチ・オレンジ
・絵画《ヴィーナスとリュート奏者
　Venus and the Lute Player》
　ティツィアーノ 1565-70年頃
・絵画《オラニエ公4世代の肖像
　画 Four Generations of the
　Princes of Orange》ピーター・
　ネイソン Pieter Nason
　1660-2年
・絵画《アポロとオーロラ
　Apollo and Aurora》エラルー
　ト・デ・ライレッセ 1671年
・ブランディング「エルメス」
　パッケージデザイン 1942年-

《花瓶の花　A Vase of Flowers》ウィレム・ファン・アールスト　1663年

アンバー（琥珀色）Amber

起源と歴史

　琥珀（アンバー）は植物の樹脂が固まり化石になったものだが、バルト海沿岸の地域では昔、海にある宝石だと思われていた。その辺り一帯には針葉樹の森があり、海岸線によく琥珀の粒が打ち上げられていたのだ。ポーランドには、バルト海を司る女神ユーラテの伝説がある。女神は深海にある「琥珀の城」に住んでいたが、雷神の怒りを買って城が破壊されてしまったという。海岸で見つかる琥珀は、その女神の城のかけらだと信じられていた。

　美しいオレンジ色に輝く琥珀といえば、真っ先に思い出すのがロシアのエカテリーナ宮殿内にある「琥珀の間（アンバールーム）」ではないだろうか。この部屋の壁全体には、琥珀を隙間なくはめ込んだパネルがあしらわれている。その琥珀のパネルは、もとは18世紀初期にプロイセン公国のフリードリヒ・ヴィルヘルム1世がロシア帝国のピョートル大帝に贈ったものだという。第二次世界大戦中、ナチスがレニングラード（現在のサンクトペテルブルク）を占領してパネルを持ち去り、やがては失われてしまった。現在の琥珀の間には、後に復元したパネルがはめ込まれている。

現在

　中国では風水で琥珀が幸運を呼ぶ縁起物とされ、21世紀に入ってからもゴールドラッシュ並みに琥珀を買い求める人が多い。デザイン分野では、アンバーの気品あふれる輝きやぬくもりが照明やインテリアに好んで取り入れられている。ミッドセンチュリーのデザインではアンバーと真鍮を組み合わせた名品が数多く制作された。

ヒント

　琥珀は植物の樹脂が固まって化石になったもので、太古の虫などが中に閉じ込められたまま保存されているものもある。自然界とのつながり、内包し保存するという性質を、琥珀色のシンボルととらえてみよう。大地のブラウン、深みのあるレッド、穏やかなクリームなど、アースカラーの暖色でまとめると自然界からのエネルギーを感じさせる落ち着いた配色になる。特にインテリア向き。

カラーコード

Hex値：#c47114
RGB：196, 113, 20
CMYK：19, 60, 100, 8
HSB：32°, 90%, 77%

イメージ

・美
・生命力
・保護

アート・デザイン・文化に見られるアンバー

・彫刻《ルビーの円すいとアンバーの球体の交わり Ruby Conical Intersection with Amber Sphere》ハーヴィー・リトルトン 1984年
・照明《限定版 PH3/2 琥珀色ガラス フロアランプ》ルイスポールセン 2019年
・家具《ソーダ・テーブル Soda table ミニフォームス社》ヤニス・ギカス 2020年

エカテリーナ宮殿（アンバールーム／琥珀の間）ツァールスコエ・セロー、ロシア

タンジェリン Tangerine

起源と歴史

　ビタミンカラーのタンジェリンには明るく健康的なイメージがある。タンジェリンとは柑橘類の一種で、16世紀にモロッコ経由でヨーロッパに持ち込まれた果物にちなんだ色の名前だ。ただし、その色は近代になってから人工的につくられた。タンジェリンの完全な不透明度は、キナクリドン・オレンジなどの化学合成顔料でなければ実現できない。

　タンジェリンは1960年代から70年代にかけて流行したポップな商品デザインやインテリアデザインによく使われた。戦後の重苦しく保守的な配色からの脱却を担ったモダンカラーのひとつである。イギリスのデザイナー、ロビン・デイが制作したポリプロピレン製スタッキングチェア（積み重ねられる椅子）は学校でも使用され、当時の子どもたちの学習環境を明るいオレンジ色で応援した。イタリアの家電ブランド「ブリオンベガ（Brionvega）」も、真面目なグレイカラーをやめて鮮やかなタンジェリンを起用した。イギリスのインテリアショップ「ヒールズ（Heals）」が発売した抽象パターンのタンジェリンのテキスタイルも大流行した。そのほか、ランプ、厚底サンダル、流線型のソファなど、タンジェリンカラーのさまざまなヒット商品が誕生した。

現在

　タンジェリンにはレトロなイメージがあるものの、現代デザインにおいても強い意志や目的を伝える色として人気がある。近年の研究によると明るいオレンジ色の光は人間の精神活動を活発にし、持って生まれた才能を引き出したり、学ぼうとする力を促したりする可能性があるという。イギリスの現代アーティスト、サラ・モリスはタンジェリンとシアンなどの補色ペアを使って刺激的で大胆なアートを次々に生み出している。

カラーコード

Hex値：#ff7e00
RGB：255, 126, 0
CMYK：0, 60, 94, 0
HSB：30°, 100%, 100%

イメージ
・リフレッシュ
・楽観的
・行動的

アート・デザイン・文化に
見られるタンジェリン
・インテリア・テキスタイル
　《旋回 Volution》ピーター・
　ホール（ヒールズ社）1969年
・家具《カマレオンダ・ソファ
　Camaleonda Sofa》マリオ・ベ
　リーニ（B&B イタリア社）
　1972年
・絵画《プール—リッツ・カール
　トン ココナッツ グローブ（マイ
　アミ）Pools—Ritz Carlton
　Coconut Grove [Miami]》
　サラ・モリス 2002年

《ブリオンベガ社 折りたたみ式
トランジスタラジオ》
マルコ・ザヌーゾ 1964年

ヒント

　タンジェリンはフレキシブルでクリエイティブな色。彩度を控え
めにしたオレンジや優しいピンクと組み合わせれば、穏やかであ
りながらエネルギッシュなデザインが生まれる。また、Webデザ
インでコントラストを主張したいときは、白を背景に補色のシアン
と組み合わせると対比がはっきりし、重要な情報を目立たせるこ
とができる。

テラコッタ Terracotta

起源と歴史

　基調にピンクみを感じさせる茶色がかったオレンジ色をテラコッタという。イタリア語で「焼いた土」を意味し、素焼きの色を指す。鉄分を含む粘土を焼くと酸化してこのような色になる。初期の素焼きは造形した後に屋外に放置し、天日で自然まかせに焼成した。近代以降は窯や屋外に掘った穴に器を入れ、火で焼成している。

　1974年に中国の西安近郊で農民がたまたま見つけた地下遺跡「兵馬俑」が世界中を驚かせた。紀元前3世紀の秦の始皇帝の墓であるその土坑には、死後の皇帝を守るために8000体もの素焼きの兵隊が配置してあったのだ。等身大の兵士たち、軍馬や戦車、武器を持っていない人々の姿もあった。当時は天然顔料で色彩がほどこされていたようだが、時の経過とともに乾燥してはがれ落ち、素焼きの状態に戻ったと考えられる。この発見で改めて素焼きの耐久性が明らかになった。

現在

　テラコッタは実用性に富むため、決して時代遅れにならない。英ヴィクトリア女王朝時代の建築に見られるテラコッタ製の装飾柱は、当時の職人の技を現代に伝える記念碑的モニュメントだ。今日でも屋根やレンガは素焼きのままの自然な風合いと耐久性を活かし、塗料や釉薬を使用しないことが多い。現代建築でも、恒久性を追求する場合はテラコッタを取り入れれば実用面でもデザイン面でも新しさを表現できる。

ヒント

　アースカラーのテラコッタは自然なぬくもりと心地よさを伝える。インテリア空間に使用すると優しさだけでなくスタイリッシュさも表現できる。砂浜のようなグレイやソフトピンクと相性がいい。

カラーコード

Hex値：#c36d4c
RGB：195, 109, 76
CMYK：19, 63, 70, 8
HSB：17°, 61%, 76%

イメージ

・土
・高級感
・不朽の

アート・デザイン・文化に見られるテラコッタ

・彫刻《川の神　A River God》ジャンボローニャ　1575年頃
・インスタレーション・アート《イギリスの島々のためのフィールド　Fields for the British Isles》アントニー・ゴームリー　1993年−
・セラミック《アプリコット色の花瓶　Aura Vases in Apricot》スナイト・スタジオ　Schneid Studio　2020年

ヴィクトリア＆アルバート博物館　ヘンリー・コール・ウィングのテラコッタの装飾柱
サウス・ケンジントン、ロンドン　1871 年

ピーチ Peach

起源と歴史

　ピーチはフレッシュで暖かみのあるピンク系のオレンジ色。これもまた果物にちなんだ名前を持つオレンジ色のファミリーだ。ピーチには「気ままな快楽にふける」というイメージがある。甘くなめらかな口当たりの桃の果実を連想させ、ロマンチックな印象を与える。美術では特に19世紀末から20世紀初頭にかけてヨーロッパを中心に花開いたアール・ヌーヴォー（「新しい芸術」の意味）との結びつきが深い。アール・ヌーヴォーを代表するチェコの画家アルフォンス・ミュシャは、その装飾的でスタイリッシュなポスター絵画にピーチ、淡いピンク、淡いレッドをよく使った。《オ・カルチェ・ラタン（Au Quartier Latin）》などの代表作を見ると、ピーチとは対照的なオーデニール（「ナイル川の水」を意味する淡い緑色）を使用して女性や構図の要所を囲んでいることがわかる。全体的なトーンを淡く控えめにすることでデザインの細かい部分にまで視線が行き渡るように工夫しているのだ。

現在

　近年の映画では主役を引き立てる色としてピーチがよく使われる。2013年のスパイク・ジョーンズ監督の作品『her 世界でひとつの彼女』では、物語のバックグラウンドとしての都会の日常生活が、彩度を抑えた控えめな色彩で描写されている。だが、主人公のセオドアと彼の恋愛対象であるサマンサ（声だけの人工知能）のロマンチックな関係を描くときには、いきいきとしたピンクみの強いピーチと暖かいレッドが使われている。

ヒント

　柔らかでぬくもりのあるピーチと淡いブラウンの組み合わせは現代的なハーモニーを感じさせる配色。そこに、彩度が高めの赤茶系のオレンジをアクセントとして加えると、より活発な印象になる。

カラーコード
Hex値：#fdd0ae
RGB：253, 208, 174
CMYK：0, 24, 33, 0
HSB：26°, 31%, 99%

イメージ
・耽溺
・栄養
・ロマンチック

アート・デザイン・文化に見られるピーチ
・絵画《果物籠を持つ少年》
　カラヴァッジョ　1593年頃
・プリント《乗馬する人
　The Rider（L'Ecuyere）》
　リシャール・ランフト　1898年
・家具《ゴープラム・テーブル
　Gopuram table》
　エットレ・ソットサス　1986年

《「オ・カルチェ・ラタン」誌表紙》アルフォンス・ミュシャ 1897年

コッパー Copper

起源と歴史

ローズゴールドのような輝きを放つコッパーは、身近にある金属、「銅（copper）」の色を指している。銅の色はその性質により、赤みがかったものから黄みがかったものまで幅がある。銅の歴史は古く、古代シュメール人やカルデア人も装飾品、武器、日用道具の材料に使っていたことが知られている。また、「青銅（ブロンズ／bronze）」は、銅を主成分としてスズを含むより硬質な合金である。紀元前3000年頃にメソポタミアで始まった「青銅器時代」には、それまでの石の文化に代わり、銅や青銅が広く用いられるようになった。

銅が近代的なデザインに取り入れられるようになったのは産業革命後のことである。蒸気機関の発明により、銅管を通して湯が供給されるようになると、蒸気でしだいに銅が酸化して緑青と呼ばれる錆が生じる。その緑青のついた銅の色が、工業的で近代的な美の象徴として人気を博したのである。ただ、銅管そのものは目新しいものではなく、古代エジプトで使われていたものが現在も残っている。

現在

今日、銅素材は植木鉢のスタンドから台所の油よけ板まで、日常生活のあらゆる場面で使われている。インダストリアル・デザイナーのトム・ディクソンは銅の特性を活かし、極限にまで磨き上げたまばゆい銅板で柔らかい曲線を表現して最高級のインテリアに仕上げている。2014年にはトム・ディクソン率いる「デザイン・リサーチ・スタジオ（Design Research Studio）」がロンドンの「モンドリアン・ホテル（現シー・コンテナーズ・ロンドン Sea Containers London）」のデザインを手がけた。船をテーマに360度コッパーを使用した革新的なロビーをつくり出したのである。

ガーナ出身の現代アーティスト、エル・アナツイは廃材やリサイクルされた金属を使ってアッサンブラージュ（異なる素材を組み合わせた立体作品）を生み出している。2005年の《多くのものが戻ってきた（Many Came Back）》という作品では、酒瓶の

カラーコード
Hex値：#d78152
RGB：215, 129, 82
CMYK：13, 56, 70, 3
HSB：21°, 62%, 84%

イメージ
・魅力的
・進歩
・ぬくもり

右：「モンドリアン・ホテル」ロンドン、デザイン・リサーチ・スタジオ 2014年

アート・デザイン・文化に
見られるコッパー
・ホームウェア《「スティル」コレ
　クション》スタジオ・フォルマファ
　ンタズマ　Studio
　FormaFantasma 2014 年
・家具《チェア　コッパー・シリー
　ズ》マックス・ラム　2015 年
・彫刻《Dans un verre》
　マリー・ルンド
　Marie Lund　2017 年

ふたを平にし、銅のワイヤーで大きなタペストリーのように織り上
げた。かつて大西洋でおこなわれていた奴隷貿易と酒類の取引
の記憶をテーマにしているという。

ヒント
　錆びて緑青化した銅には自然な美しさとぬくもりがある。暖か
いコッパーに錆びたレッド、炭のようなブラックを組み合わせて
金属と非金属の素材感の違いを表現しよう。

コーラル Coral

起源と歴史

珊瑚（コーラル）の色を思わせる中間トーンのピンクがかったオレンジ色。メソポタミア文明初期の頃、人々は海に潜って珊瑚の枝を集め、ジュエリーにしていたという。古代ローマの人々は珊瑚を身につけると悪意や誘惑から身を守ることができると信じていた。この言い伝えは後世にも受け継がれ、14世紀イタリアの巨匠チェッコ・ディ・ピエトロが描いた聖母子像の幼子イエスも首に珊瑚の小枝をぶら下げている。

19世紀ヨーロッパでは珊瑚がファッションアイテムとして大流行した。ちょうどその頃、ヨーロッパによる世界の植民地化が進み、珊瑚が豊富に採れる地域へと領土（搾取）が拡大していたのだ。1960年代から70年代にはコーラルカラーの上流階級での人気は下火になり、公衆トイレのタイルやレトロなカクテルチェア（一人掛けのソファ）の色としてよく使われるようになった。

現在

デザインでは、コーラルは彩度の高いオレンジよりも親しみやすく扱いやすい。「グーグルネスト（Google Nest）」や「ジョウボーン（Jawbone）」などの最新テクノロジーデバイスが、カラーラインナップにコーラルカラーのモデルを選択肢として取りそろえている。無機質になりがちなデジタル機器に親しみやすい色をまとわせると受け入れられやすい。また同時に鮮やかな色で注目を集めることもできるのだ。

ヒント

ピンクを多く含む分、コーラルはほかのオレンジよりも眼に優しい。補色の深い青緑色（ディープ・ティール）、白木色（ペールウッド）、ゴールデン・イエローなどと組み合わせるとフレンドリーでモダンな印象になる。こうした配色をプロダクトデザインや環境デザインに使用すれば「サポート体制の充実」を伝えることができる。

カラーコード
Hex値：#ff8765
RGB：255, 135, 101
CMYK：0, 59, 58, 0
HSB：13°, 60%, 100%

イメージ
・驚嘆
・保護
・親しみやすい

アート・デザイン・文化に見られるコーラル
・テクノロジー《Jawbone（ジョウボーン）ワイヤレス活動量計バンド up24》イヴ・ベアール Yves Behar 2013年
・デザイン《色見本 Pantone 16-1546「リビング・コーラル Living Coral」》パントン・カラー・オブ・ザ・イヤー 2019年
・ファッション《2021年 春夏コレクション》ステラ・マッカートニー

《聖母子像　Madonna and Child with Donors》（細部）チェッコ・ディ・ピエトロ　1386年

ハイビス・オレンジ
High-Vis Orange

起源と歴史

　ハイビス・オレンジは高彩度の蛍光色で、緊急性や切迫感を表すのに適している。そのため、災害時に発見されやすいよう、救命ボートや航空機に搭載するブラックボックスに使用されている。蛍光色のファブリックは1940年代にスウィッツァー兄弟が発明した（p160参照）。第二次世界大戦中、生死を分かつような状況のときに人目につきやすいよう、ライフジャケット、パラシュート、浮き輪やボートなど、さまざまな救命用具にこの色が使われるようになった。

　ハイビス・オレンジのような鮮やかな合成色が誕生したのは、19世紀にカドミウムやクロム、キナクリドンなどの高濃度化合物が発明されたおかげである。ハイビス・オレンジと補色のブルーを組み合わせた存在感のあるコントラストは多くの芸術家たちを魅了した。人間のむき出しの感情と肉体を描く画家フランシス・ベーコンは、この2色のコントラストを使って数多くの人体の習作を残した。また、1980年代にはキース・ヘリングがハイビス・オレンジをアクセントに社会問題や公衆衛生の問題に焦点を当てた重要な作品を多く生み出した。

カラーコード
Hex値：#ff9200
RGB：255, 146, 0
CMYK：0, 51, 93, 0
HSB：34°, 100%, 100%

イメージ
・活気
・安全
・機能的

アート・デザイン・文化に
見られるハイビス・オレンジ
・絵画《人体の習作 Study
　from The Human Body》
　フランシス・ベーコン 1982年
・絵画《最後の熱帯雨林
　The Last Rainforest》
　キース・ヘリング 1989年
・ファッション《2018年秋冬
　「リメイド・コレクション」》
　クリストファー・レイバーン

セリグラフ《モントルー・ジャズ・フェスティバル ポスター Montreux Jazz Festival Poster》
キース・ヘリング 1983年

現在

　重要なものに注意を向けさせるハイビス・オレンジは現在も不可欠な色である。サステナブルな社会に向けた取り組みをしているブランド「レイバーン（Raeburn）」は、第二次世界大戦中に生産されたハイビス・ファブリックを再利用して秋冬もののアウターを制作している。素材のリサイクルや廃棄物ゼロを意識しながらもファッショナブルで機能性の高い「レイバーン」のアウターは着る人のモチベーションをも高めてくれる。

ヒント

　ハイビス・オレンジはとにかく目立つ。必ず視線を集めたいとき、パワフルなハイビス・オレンジに補色のシアンや鮮やかなネオンイエローを組み合わせてみよう。また、黒などの無彩色とペアにするとシリアスで時代性を超えたムードを演出できる。

クリストファー・レイバーン 2018/2019年秋冬コレクション ロンドン

イエロー Yellow

　黄色は心躍る楽しい色だ。黄色を見ると五感が刺激される。この色を見て、あなたは何を思い浮かべるだろう？　切りたてのレモン、ターメリックの芳香、ボウルに割り入れたばかりの卵黄。この色を見ただけで、私たちは味や香り、触感までもを思い出す。

　純色のイエローはCMYKカラーモデルの原色で印刷技術に欠かせない。また、イエローの仲間には、明るいレモンイエローやファクトリー・イエローからもっと濃い色みのものまでさまざまな個性がある。ブラウン、グリーン、オレンジなどが少しでも加わると、イエローは一気に影響を受けてしまうからだ。薄いイエローは着色しにくい素材もあるが、濃いイエローは多少の摩擦やこすれにも耐えられる。

　安定したイエローの顔料は20世紀に入るまで存在しなかった。鉛、ヒ素（石黄）、樹液（藤黄）、さらには化学薬品を原料とする黄色でさえ、日光に当たると茶色く変色してしまった。なかには有毒物質を発生させる副反応まであったのだ。芸術家やデザイナーたちは思うようにこの色を使えず不満を抱えていたが、19世紀末になるとようやくアリザリンやアゾ色素などの安心して使える合成色料が開発された。これにより、柑橘類や太陽の色のような透明感のある安定した黄色がふんだんに使えるようになった。

現代社会において黄色といえば、絵文字にポストイット、タクシーなどを思い浮かべるかもしれない。また、危険や注意を呼びかける色としても使われている。市場に出回りすぎているため、濫用すると安っぽい印象を与えてしまいかねない。とはいえ、明るく注目されやすいので、特にグラフィックデザインに取り入れれば効果的だ。さわやかで快活なイメージを持つイエローは人々を元気にさせる。記憶をよみがえらせ、コミュニケーションを円滑にする。そんなイエローは、学習環境や教育の場に取り入れるのもおすすめだ。

　植物由来の天然染料も再び見直されつつある。何千年も前からある自然な色料が廃棄物を減らすのに役立つかもしれない。優しく色あせたイエローが大量消費社会に生きる私たちの行動に歯止めをかけてくれる。イエローはこの複雑な世界を包み込み、私たちに穏やかで健やかな楽観主義の精神を思い出させてくれる。

インディアン・イエロー
Indian Yellow

起源と歴史

　人類の長い歴史上、ふとした偶然から新色が生まれることがしばしばあった。その色がどうやって誕生したのか、詳しく調査される場合もあれば、謎に包まれたままというケースもある。

　インディアン・イエローは15世紀にインドでつくられ、17世紀にヨーロッパに輸入されたといわれる。ヨーロッパの画家たちは、独特な鮮やかさを持ち色あせしにくいこのイエローを大変喜んだ。しかし、19世紀になると、その顔料の製造方法について奇妙で不確実な情報が流れ始めた。ヘビの血、ラクダの尿、雄牛の胆汁などが原料だと噂されたが、ある書簡に記されていた製造法がもっともらしく広まった。それは、マンゴーの葉ばかりを食べさせた雌牛の尿からできているという説だ。さらに不思議なことに、この顔料はあるとき突然、市場から消えてなくなってしまった。その製造法が牛への残虐行為にあたるとして、インドで生産中止になってしまったのかもしれない。だが、確証は今も見つからないままだ。

　インドでは黄色が精神世界の到達点を表すシンボルカラーとされ、神聖な儀式や宗教的な衣装にも使われる。15世紀の細密画《ラーガマーラ》はヒンドゥー教の楽曲の場面を描いたもので、斬新な構図に黄色が象徴的に使われている。インディアン・イエローは乾燥した丸い玉の状態でヨーロッパに輸入された。その濃い黄金色の玉（やや悪臭がしていたという）からは、スパイス、太陽、熱、花、そして土埃や泥などが想起された。汚れを落として砕き、小粒のペレット状にすると、水彩絵の具として使うことができた。J.M.W.ターナーが愛用した色として知られるため、別名「ターナーのイエロー」とも呼ばれる。

現在

　本物のインディアン・イエローは市場から姿を消してしまったが、20世紀になると、それに似た濃い黄色の合成色料が誕生した。そしてインドでは今も建築やデザインに黄色を好んで取り入れている。2020年に「サンジャイ・プーリ・アーキテクツ社」（Sanjay Puri Architects）が開発したラージャスターン州の100エーカー（約40万平方メートル）の敷地には、暖色系でまとめられた多用途の建物が整備されている。そこには太陽のようなイエローの建物もあり、訪問者を歓迎してくれそうな親しみやすさがある。

カラーコード
Hex値：#9c7a21
RGB：156, 122, 33
CMYK：31, 42, 95, 24
HSB：43°, 79%, 61%

別名
・ターナーのイエロー
　（Turner's Yellow）

イメージ
・歓迎
・スピリチュアル
・元気づける

アート・デザイン・文化に
見られるインディアン・イエロー
・絵画《フルートを吹くクリシュ
　ナ神　Krishna Play his
　Enchanting Flute》ラホール、
　パキスタン　1780年頃
・絵画《モンマスシャーのアバー
　ガベニー橋　Avergavenny
　Bridge, Monmouthshire》
　J.M.W.ターナー　1798年
・ペイント「インディア・イエロー
　No.66」ファロー＆ボール社
　2017年

ヒント

　インディアン・イエローをたっぷり使うと独特の豊かさが感じら
れる。この色に本来備わる彩度の高さが周囲にエネルギーを与
えてくれる。インテリアデザインにインディアン・イエローと深みの
ある暖かいオレンジをバランスよく取り入れると居心地の良い空
間が生まれる。

《楽曲絵『ラーガマーラ』より
「ヴァサンティ・ラーギニー」
' Vasanti Ragini' ; Ragamala
Series》
インド　1710年頃

ターメリック Turmeric

起源と歴史

ターメリック（学名：*Curcuma longa*、和名：ウコン）はショウガ科の多年草で、人々は古くから根茎の部分を民間療法や食物の保存に役立てていた。収穫した根茎はまず茹でてから土のかまどで乾燥させ、すりつぶしてパウダー状にする。オレンジみの強い黄色の粉末は香辛料として原産地インドや東南アジア各地で愛用されている。食用だけでなく、薬として服用したり、美肌効果や体調管理ために顔や身体に塗ったり、宗教的な儀式にも使われる。また、文学作品にもよく登場する。

色としてのターメリックはイエローとオレンジの性質を合わせ持ち、さまざまなイメージを連想させる。純粋さや崇高さはイエローから、太陽の暖かさや安心感はオレンジから受け取るメッセージだ。陽に当たると色あせてしまうものの、昔から僧侶の袈裟やインドの伝統衣装サリーの染料に使われてきた。3500年前のインドの聖典『リグ・ヴェーダ』には、ヒンドゥー教の神ヴィシュヌが太陽の光で衣装を織ったという逸話が残されている。当時の細密画やフレスコ画には、黄金色の衣をまとったヴィシュヌ神やその化身であるクリシュナ神が描かれている。

現在

ターメリックから採れる色料には耐光性がないが、化学合成色料が自然環境に与える負荷を考えれば、天然色料には自然ならではの良さがある。現代アーティストのソフィ・ロウリー（Sophie Rowley）は、ターメリックで染色した1万本もの糸から成る織物を丁寧に「ほどく」ことにより、立体的なテキスタイルアート《カーディ・フレイズ　Khadi Frays》を創作した。伝統的な工程で仕上げられた織物をあえてほどくことにより新しい芸術を生み出している。

カラーコード
Hex値：#dcab1c
RGB：220, 171, 28
CMYK：14, 32, 94, 3
HSB：45°, 87%, 86%

イメージ
・神聖
・晴天
・信頼

アート・デザイン・文化に
見られるターメリック
・テキスタイル《カラムカリ（イン
　ド最古の捺染技法）の飾り布
　'Kalamkari Hanging with
　Figures in an Architectural
　Setting' デカン高原、インド
　1640-50年頃
・絵画《正方形讃歌のための習
　作 黄色からの発展 Study
　for Homage to the
　Square::Departing in
　Yellow》ジョセフ・アルバース
　1964年
・テキスタイルアート《カーディ・
　フレイズ　Khadi Frays》
　ソフィ・ロウリー 2017年

《ターメリックで染めた布》
ジョアンナ・フォウルズ
Joanna Fowles 2018年

ヒント

　派手に注目を集めることばかりがイエローの仕事ではない。
ターメリックで染めたコットンやリネンには天然素材ならではの控
えめな美しさがある。乳白色や大地の色と組み合わせてオーガ
ニックな表現を楽しもう。

レモンイエロー Lemon Yellow

起源と歴史

　レモンの起源はインドまたは中国にあり、原種のビターオレンジ（ダイダイ）とシトロン（ミカン科の果物）を交配させてつくられたといわれている。紀元前600－400年には中東にもたらされ、そこからアラブ商人の手によりアジアやアフリカ各地に広がった。10世紀から11世紀にかけてムーア人が南ヨーロッパを占領し、シチリアやアンダルシアなどにレモンを普及させた。さらに1400年代にはクリストファー・コロンブスがレモンの種を新大陸アメリカに持ち込んだとされている。

　ヨーロッパやアメリカへの輸出が本格化するとレモンの品種改良が進み、しだいに食用として使われるようになる。しかし、最初のうちは主に薬用や装飾用で、身分の高い人々しか手に入れられない高級品だった。15世紀以降はレモンの明るい色がヨーロッパの暗い室内に太陽の光をもたらすシンボルとされ特にオランダの画家たちが好んで描いた。

　レモンは絵画で重要な役割を果たしたものの、レモンの色をそのままに表現できる絵の具はなかなか発明されなかった。1911年にドイツの化学者が開発した明るいレモンイエローはアリーリドを用いたレーキ顔料で、現在ではハンザ・イエローと呼ばれる。それ以前、画家たちはスイセンの花から採れる植物性色素や水で薄めた鉛スズなどを混ぜ合わせてレモンの色を再現しようとしていた。

現在

　20世紀になるとアンリ・マティスがオランダの画家たちの後を継ぎ、たくさんのレモンをキャンバスに描いた。「色彩の魔術師」と呼ばれたマティスは、明るく爽快感のあるレモンイエローをふんだんに使用した。色相環で反対色のラベンダーやピンクと組み合わせたり、隣接色のグリーンやオレンジと組み合わせたり、大胆な原色のコンポジションで使用したりと色を自在に操った。デザインは日常生活にもヒントをくれる。レモンは料理や飲み物にすっきりとしたアクセントを添えてくれるだけでなく、ボウルに盛ってキッチンに置いておけば家のなかが明るくポジティブな印象になる。

カラーコード

Hex値：#ebed6f
RGB：235, 237, 111
CMYK：14, 0, 66, 0
HSB：61°, 53%, 93%

別名

・ハンザ・イエロー
　（Hansa Yellow）
・アリライド・イエロー／アリーリド・イエロー（Arylide Yellow）
・モノアゾ・イエロー
　（Monoazo Yellow）

イメージ

・シャキッとした、目の覚める
・健康的
・感じのよい

**アート・デザイン・文化に
見られるレモンイエロー**

・絵画《鍍金した酒杯のある静物
Still Life with a Gilt Cup》
ウィレム・クラース・ヘダ
1635年
・絵画《祈るブルターニュの女
Breton Woman in Prayer》
ポール・ゴーギャン　1894年

ヒント

　レモンイエローには清潔感があり、万人受けするさわやかさや洗練された印象もある。まるでレモンの味そのもののイメージだ。ターコイズ、ラベンダー、レモンイエロー、トマト・レッドの4色配色（テトラード）は、飲食をともなう屋外イベントやエンタテインメント空間に最適な組み合わせになる。

《紫のコートの女
Woman in a Purple Coat》
アンリ・マティス　1937年

ファクトリー・イエロー

Factory Yellow

起源と歴史

　この派手な黄色は軍需工場にちなんでファクトリー・イエローと名付けられた。第一次世界大戦中、イギリスの軍需工場で働く女性たちは「カナリア・ガールズ」と呼ばれた。それらの工場で扱うTNT（トリニトロトルエン）は爆薬に使われる大変危険なものだった。TNTに触れると肌が黄色に変色してしまう。毒性があり危険なことを知らせるために、工場内には目立つ黄色で注意書きがしてあった。

　鮮やかな黄色は、いつも少し発光しているように見える。これは黄色がたくさんの光を反射するためだ。はっきりと目立つファクトリー・イエローは、安全標識や緊急車両、タクシー、手すりなどによく使われる。文具・オフィス用製品の会社3M（スリーエム）のトレードマークといえばポストイット（付箋）だ。この黄色いポストイットに重要なアイデアや忘れてはいけないことを書いて貼っておけば目立つので、世界中のオフィスで愛用されている。また、グローバルブランドのIKEAとマクドナルドは、ファクトリー・イエローをほかの原色（IKEAは青、マクドナルドは赤）と組み合わせたイメージカラーを打ち出し、視覚的効果を最大限に活用したマーケティング戦略をおこなっている。

現在

　2019年にロンドンの「ダルウィッチ・ピクチャー・ギャラリー」の庭に期間限定で出現したのは、イギリス系ナイジェリア人アーティスト、インカ・イロリ（Yinka Ilori）と建築ユニット「プライスゴア（Pricegore）」がコラボレーションを組んでデザインした《カラー・パレス》だ。アフリカにルーツを持つイロリの鮮やかな色彩感覚と遊び心が反映された仮設の「城」には、ファクトリー・イエロー、マゼンタ、スカイブルーなど色とりどりのバトンが使用された。また、学校や教育施設でも明るいイエローが学びの場にふさわしいポジティブな雰囲気づくりに役立っている。2020年にロンドンの小学校の建築デザインを手がけた「コットレル＆バーミューレン（Cottrell and Vermeulen）」社は、校舎の外壁にスクールゾーンの標識にそっくりなファクトリー・イエローを使用した。

カラーコード
Hex値：#f9dd00
RGB：249, 221, 0
CMYK：6, 8, 93, 0
HSB：53°, 100%, 98%

別名
・カナリア・イエロー
　（Canary Yellow）

イメージ
・遊び心
・注目
・集中

右：建築《ベレンデン小学校
Bellenden Primary School,
Peckham》
コットレル＆バーミューレン社
ペッカム、イギリス　2020年

**アート・デザイン・文化に
見られるファクトリー・イエロー**
・家具 A Sense of Colour シリー
ズ《セブンチェア「トゥルー・イ
エロー」Series 7 chair "True
Yellow"》アルネ・ヤコブセン
（フリッツ・ハンセン社）2020年

ヒント

　子どもたちの学習環境に取り入れる色は計画的に決めた方が
いい。イエローには前向きで楽観的な力があり、創造性を育む
教育の場に適している。子どもたちが明るくのびのびとした環境
で勉強できるよう、ナチュラルな木の色をベースに、ドアや椅子
などにイエローを取り入れてみよう。

鮮やかな黄色は、
いつも少し
発光している
ように見える。

《カラー・パレス
The Color Palace》
インカ・イロリ ダルウィッチ・
ピクチャー・ギャラリー、
ロンドン 2019年

インペリアル・イエロー
Imperial Yellow

起源と歴史

インペリアル・イエローは中国の皇帝たちが身につけた衣装の色を指す。最初に黄色を皇帝専用の色と定めたのは唐代（618-907年）の高宗の時代だったようだ。当時の宮廷の備品を記録した書物によると、皇帝の衣服は特定の植物（エンジュ）のつぼみで染め、ミョウバンで色を固定させたらしい。中国には五行説という自然哲学の思想がある。万物は、木・火・土・金・水の5つの元素から成り、それぞれ、緑（青）・赤・黄・白・黒の色に対応すると考えられた。また、ヨーロッパでは18世紀から19世紀初期にかけてシノワズリ（中国趣味の美術様式）が流行し、インペリアル・イエローが注目を集めた。中国風のファッショナブルな色として上流階級の人々が好んで使用したのだ。

現在

新たな可能性やこれまでにないアイデアが重視され、代替エネルギー源が探し求められる現在、太陽の色イエローは新時代を象徴するコンセプト・カラーになる。2020年にルノー社が発表した次世代型EV（電気自動車）コンセプトカー「モルフォズ（MORPHOZ）」は、目的に合わせて車体が伸縮するという画期的なモデルである。ルノー社はこの未来型EVの内装にインペリアル・イエローを選んだ。シルバーの車体からのぞき見える内部の鮮やかなイエローが、ユニークな機能と新しいユーザー体験への興味をかきたてる。

ヒント

ウルトラマリン・ブルーやチャイニーズ・レッド（p.66「バーミリオン」参照）と組み合わせると根源的でシンボリックな印象になる。貴族階級の文化や伝統を感じさせる特別なイメージだ。あるいは、商品デザインや新サービスのブランド戦略にインペリアル・イエローと淡いゴールド、ブラックと合わせれば革新的なイメージが伝わりやすい。

カラーコード
Hex値：#f5cc5e
RGB：245, 204, 94
CMYK：0, 18, 70, 5
HSB：44°, 62%, 96%

イメージ
・洗練
・栄誉
・伝統、遺産

アート・デザイン・文化に見られるインペリアル・イエロー
・絵画《黄色い服の女（エレノア・リーヴス）Lady in Yellow (Elenor Reeves)》スーザン・ワトキンス 1902年
・車「コンセプトカーMORPHOZ（モルフォズ）」ルノー 2020年

《乾隆帝朝服像　The Qianlong Emperor in Court Dress》ジュゼッペ・カスティリオーネ　1736年

フェイデッド・サンフラワー
（色あせたひまわり）Faded Sunflower

起源と歴史

　陽気で幸福な日々を思わせる鮮やかなひまわりの色は魅力的だ。オランダのポスト印象派の画家フィンセント・ファン・ゴッホは、1887年から翌年にかけて熱心にひまわりを描き続けた。パリで華やかな色彩に富んだ印象派の作品を見た後、ゴッホは花の静物画をよく描くようになった。彼が題材に選んだのは、どちらかというとしおれかけた花だった。

　その頃、ゴッホは青い背景に鮮やかな黄色というドラマチックな配色を好み、極めて伝統的な手法で作品に取り組んでいた。だが、今日私たちが有名なゴッホのキャンバスで目にすることができるのは、やや色あせて控えめな色合いになったひまわりだ。これはおそらく黄色の絵の具の質が不安定だったのだろう。ゴッホが使っていた顔料は、黄色のクロム酸鉛と白の硫酸鉛を混ぜたものだった。当時広く使われていた顔料だが日光に当たると退色してしまい、ひまわりと同様にキャンバス自体にもしおれた印象を与えてしまった。

現在

　このようなノスタルジックな風合いは、現在ではむしろ好意的に受け止められている。着古したシャツや、使い込まれたお気に入りのもののように愛着のわくマスタードカラーのイエロー。数年前の夏に本の間に挟んで忘れていた押し花のような色。ファストファッションや大量の廃棄物が問題視される今、時間が経過し古びたような色はかえって美しくポジティブなものとしてとらえられる。

ヒント

　人気のベイクド（焼けたような）カラーやアースカラーと組み合わせたり、薄く消え入るようなスカイブルーと合わせてみよう。シーズンごとに買い換えるファッションには出せない落ち着いた風合い。長年大切に着ているものにこそ、ゴッホのひまわりのような魅力を見出そう。

カラーコード
Hex値：#f8cd76
RGB：248, 205, 118
CMYK：3, 21, 62, 0
HSB：40°, 52%, 97%

イメージ
・ぬくもり
・落ち着き
・ノスタルジア（郷愁）

アート・デザイン・文化に
見られるフェイデッド・サンフラワー
・ファッション《絞り染めのシャツ
　イエロー》STORY mfg.
　2020年

《ひまわり》フィンセント・ファン・ゴッホ 1887年

ウィート（小麦色*）Wheat

起源と歴史

　人々は石器時代から野山に分け入って食べられる草や穀物を探していたが、およそ1万2000年前に地中海沿岸のレバント地方で初めて田畑を耕し、作物を植えて、収穫するようになった。人類の歴史上、最も重大な出来事のひとつ、農業のはじまりは私たちの祖先の暮らしを一変させた。食料を求めて移動する生活から土地に根を下ろした生活に変わったのだ。

　それ以来、ごく近年まで、「収穫」はコミュニティの全員が関わる大切な行事だった。豊作の年は食料が十分に確保でき、運が良ければ余りを保存しておくことができた。一方、不作の年は空腹に苦しむことになる。そのため、金色に輝く小麦畑の色は西洋の人々にとって豊穣や富を意味するようになった。「小麦色」という顔料が存在したわけではないが、あまりに重要な意味を持つ色のため、ほかと区別して呼ばれるようになった。17世紀後半には「小麦色（ウィート）」という色名が表色系に正式に加えられた**。

現在

　20世紀後半から21世紀初頭にかけて、インテリアデザインやファッションの分野で優しくニュートラルな印象のウィートが流行した。1980年代には「マックスマーラ」のトレンチコートが普遍的な定番アイテムとして人気を博し、「ダナキャラン」は2011年春夏のウィメンズ・コレクションでリラックス感のあるシルキーなウィート・カラーのドレスに麻の小物を組み合わせたコーディネートを発表した。最近ではフランスのファッションデザイナー、ポート・ジャックムス（Porte Jacquemus）が、2021年春夏コレクションで文字通り「小麦畑」をランウェイに見立て、ナチュラルな小麦色のコレクションを効果的に演出した。

カラーコード
Hex値：#e6d29b
RGB：230, 210, 155
CMYK：12, 16, 46, 1
HSB：44°, 30%, 90%

イメージ
・信頼できる
・のどかな、牧歌的な
・豊かな

*訳注：日本で「小麦色の肌」などと表現する赤みのある茶色とは異なり、次ページの写真のような色を指す。

** Maerz, A. and Paul, M. Rea, *A Dictionary of Color*, New York: McGraw-Hill Publishing Co., 1930　メルツ・アンド・ポール著『色彩辞典』ニューヨーク1930年

**アート・デザイン・文化に
見られるウィート**

・絵画《*Garbes*》ジョセフ・
ベンセニ・ピニョール　Josep
Benseny Pinol　1951年
・ファッション《2011年春夏
ウィメンズ・コレクション》
ダナキャラン　2011年
・インテリアデザイン《「フローリス
ト」ミル＆ベーカリー内装、バン
クーバー》セントマリー　2019年

JACQUEMUS（ジャックムス）
2021年春夏コレクション パリ
（'L' Amour' collection）

ヒント

　明るさを感じさせる現代的なニュートラルカラー。ペールブルー
（薄い青）、セージ（くすんだ淡い緑）、クレイ（粘土色）、ソイル
ブラウン（土色）などのナチュラルな色と組み合わせると、シンプ
ルで心地よいライフスタイルが提案できる。

ゴールド Gold

起源と歴史

　黄金色に輝く「ゴールド＝金」は古代から世界中の人々の心をとらえて放さなかった。この美しい金属から神聖なオブジェがつくられたり、金の獲得をめぐって文明が滅ぼされたり、神話のなかに金と結びつくエピソードが何千も綴られたりしている。また、金は宗教や王族との関係も深い（カトリック教会、ヒンドゥー教、仏教の寺院にはふんだんに金が使われている）。フランスの「太陽王」ルイ14世は金箔師ピエール・グティエールを雇い、王国の富と権力を誇示するためにベルサイユ宮殿のものすべてを金箔で覆うように命じたという。

　ビザンティン時代の宗教絵画では聖人の後光やほかの細部に金箔が丁寧にほどこされている。17世紀のバロック時代になると、絵画のなかで金をどのように扱うかで画家の力量が試された。当時の作品の代表例に、レンブラントの《ベルシャザールの饗宴》（1636-8年）がある。

カラーコード
Hex値：#9b7a41
RGB：155, 122, 65
CMYK：32, 43, 77, 24
HSB：38°, 58%, 61%

イメージ
・完全
・過剰
・価値

アート・デザイン・文化に見られるゴールド
・インテリアデザイン《「ラデュレ」バーリントン・アーケード店、ロンドン》ロクサーヌ・ロドリゲス　2006年
・プロダクトデザイン「iPhone 6S ゴールド」2015年
・彫刻《アメリカ》マウリツィオ・カテラン　2016年

《神殿で見出される少年イエス Christ Discovered in the Temple》シモーネ・マルティーニ　1342 年

現在

　古代文明では太陽と金を結びつけていたため、後世の人々も金には常に文化的・象徴的な意味を見出してきた。しかし、金の別の側面にも目を向けてみよう。物質としての金は温度調整がしやすく、扱いが便利で実用性に富んでいる。ガラスを金でコーティングすると夏は太陽光を反射して涼しく、冬は断熱効果で部屋が暖かくなる。

　日本の「金継ぎ」の文化から学ぶことも多い。日本では昔から陶磁器が割れたり欠けたりすると、金で割れ目を継いで修復して使っていた。こうすることで、壊れたものを捨てずに済むばかりでなく、修復された器は元よりもさらに美しくなる。いつも主役だった金が名脇役としての力を発揮する。さらには、大量消費社会に終わりを告げた、これからのライフスタイルにもインスピレーションを与えてくれる。

ヒント

　近年、残念ながらゴールドには腐敗したリーダーや派手なセレブリティのイメージがついてしまった。過剰、支配的、さらには悪趣味な印象まで与えかねない。だから、これからのデザインにはゴールドをたっぷりではなく、ほんの少しだけアクセントとして加えるほうがいい。

いつも主役だった金が
名脇役としての力を発揮する。
さらには、大量消費社会に終わりを告げた、
これからのライフスタイルにも
インスピレーションを与えてくれる。

金継ぎをほどこした抹茶碗（年代不詳）

ミンダロ Mindaro

起源と歴史

　完全にモダンな色名のミンダロは、18世紀半ばにフランスで流行した薬草のリキュール「シャルトリューズ（chartreuse）」に由来する。最初につくられた黄緑系の色は、1775年にドイツ系スウェーデン人の化学者カール・ヴィルヘルム・シェーレが発明した「シェーレのグリーン」を使用していた。この色にはヒ素が大量に含まれ毒性が高かった。にもかかわらず、絵画、壁紙、ファブリック、さらには子どものおもちゃにまで使われるほど人気があった。1800年代後期にはシャルトリューズ色に染められたシルクやベルベットがヨーロッパ社会で流行した。その後、毒性のない色料で「シャルトリューズ風の」色合いが出せるようになり、1950年代後半にはセラミックや家具など、身の周りのものに盛んに取り入れられるようになった。そして2000年代の現在ではインテリア用塗料の見本帳で定番カラーになっている。

現在

　鮮やかなテニスボールのような黄緑色だったシャルトリューズはしだいにトーンダウンし、もう少し控えめで穏やかな「ミンダロ」に落ち着いた。ファッション界では今も「個性的で一風変わった主張ができる色」ととらえられている。アメリカの元ファーストレディ、ミシェル・オバマがミンダロの服を好んで着ていたことからポジティブなイメージが持たれるようになった。デザイン分野でも、個性豊かなミンダロを取り入れると人目を引く配色になる。あるいは、単調で変化に乏しい配色に彩度を落としたミンダロをアクセントカラーとして入れると効果的だ。

カラーコード
Hex値：#ddd582
RGB：221, 213, 130
CMYK：10, 4, 56, 10
HSB：55°, 41%, 87%

別名
・シャルトリューズ／シャトルーズ
　（Chartreuse）

イメージ
・信頼できる
・自立している
・エキセントリック

**アート・デザイン・文化に
見られるミンダロ**

・パステル・ドローイング
《髪をすく女 Woman
Combing Her Hair》
エドガー・ドガ 1888-90年
・ファッション《2009年秋冬プ
レタポルテ コレクション》
ジェイソンウー 2009年

ヒント

　ミンダロの起源にちなんで手づくり感のある魅力を引き出した
い。ローズピンクになじませて繊細なグラデーションをつくり、深
みのあるマスタードやゴールドを差し色にしてみてはどうか。一
度限りのデザインやクラフトに取り入れてみよう。

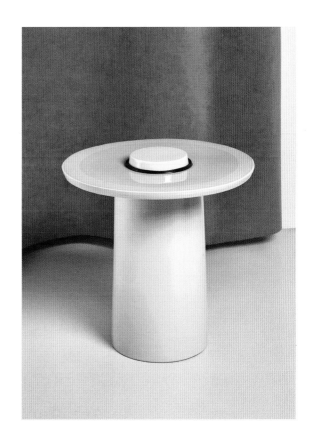

セラミック《テーブルトップ・
イエロー Table Top Yellow》
Studio RENS × Cor Unum、
2020年

マリーゴールド Marigold

起源と歴史

メキシコの言い伝えによると、死者の魂はマリーゴールドの香りをたどってあの世とこの世を行き来するという。アステカ人も栽培していたメキシコ原産のマリーゴールドは国のシンボルと言える花である。古くから薬として使われ、また毎年盛大に祝う「死者の日」の祭壇にも欠かせない。

明るくくっきりとしたマリーゴールド・イエローは昔からファッションにも盛んに取り入れられてきた。1960年代には元アメリカ大統領J.F.ケネディの夫人、ジャッキー・ケネディが着たマリーゴールドのドレスが話題になった。ジャッキーのファッションは成功に憧れた時代を象徴するもので、鮮やかなマリーゴールド・イエローの衣装はなかでも一際印象的だった。それ以降、この色のファッション界での人気は衰えず、近年では「ニナリッチ（Nina Ricci）」や「フィリップリム（Phillip Lim）」のコレクションに見られた。もともとイエローは光をよく反射する明るくまぶしい色である。だから、マリーゴールドのような黄色をふんだんに使えば簡単に気持を明るくすることができ、人目を引くファッションが完成する。

現在

ほとんどオレンジに近い鮮やかなマリーゴールドを見ると直感的に明るい気持ちになり、周囲の自然の美しさにハッと気づくようなことがある。2016年、現代アーティストのクリスト＆ジャンヌ＝クロードはイタリアのイゼオ湖に巨大な環境アートを出現させた。ブルーグリーンの湖とコントラストを描くように、湖上にマリーゴールド・イエローの桟橋を浮かばせたのだ。この壮大なアート作品を見に120万人が訪れ、実際に仮設の黄色い桟橋の上を歩いて渡った。

ヒント

気持ちを高めるマリーゴールドのパワーを使いこなそう。デザインに大胆に取り入れ、元気でエネルギッシュなムードをつくり出そう。

カラーコード
Hex値：#fb9614
RGB：251, 150, 20
CMYK：0, 49, 92, 0
HSB：34°, 92%, 98%

イメージ
・伝統的
・若々しい
・向上心のある

アート・デザイン・文化に見られるマリーゴールド
・ファッション《2021年春夏プレタポルテ コレクション》アルチュザラ Altuzarra 2021年
・写真《『ユートピア―折り畳まれた壁の間に』シリーズより「黄色のロザリン」Yellow Roseline from the series Between These Folded Walls, Utopia》クーパー＆ゴルファー 2020年

右：「死者の日」の祭壇に飾られた食べ物、写真、マリーゴールド サン・ミゲル・デ・アジェンデ、メキシコ

次ページ：
《湖上の桟橋 Floating Piers》クリスト＆ジャンヌ＝クロード 2016年

グリーン Green

　人間の眼は緑色のニュアンスを見分けるのが得意なので、自然界にはほかの色よりもグリーンの種類が多いと考えがちだが、そんなことはない。木々の間にゆらめく葉を見ていると、濃いグリーンだと思っていたのが次の瞬間には薄いグリーンに見えたりするが、これは眼の構造上、グリーンを見るのが心地よいと感じるからこそ生じる現象なのだ。自然のなかで過ごすと癒されるが、インテリアにグリーンを取り入れれば同じような効果が期待できる。詩人T.S.エリオットは緑に囲まれた空間に身を置いたときの至福を「回る世界の静止点」と表現した＊。

　陽気な黄色みを帯びた葉のグリーン、ミステリアスで落ち着くダークグリーン、あいまいに濁ったオリーブ・グリーン、宝石のように輝くエメラルド・グリーンやターコイズ。グリーンの仲間には多彩なトーンがあり、どれも個性的なイメージと結びついている。日本では、緑色は伝統的に命を育むものと結びついていた。イスラムの国々では預言者ムハンマドの聖なる色とされ、天国、繁栄、幸運、富などのイメージと重なり、国旗に取り入れている国も多い。その一方で、緑は傷んだもの、腐敗、病気、生まれ変わりといったイメージが持たれる場合もある。タイ語で「kheīyw（緑の）」といえば「腐ったもの、臭いもの」など不快なものを表す使い方もする。キリスト教の国々では緑に「異教徒」のイメージがある。たとえばケルト民族の「グリーンマン」といえば土着の木の精霊の姿を思い浮かべる。キリスト教社会で神聖で勇敢な「赤」のシンボル性に対して、「緑」は「邪悪」なもののシンボル性と受け止められた。

　自然界には緑色がふんだんにあるものの、昔は緑色の顔料は不安定で色あせしやすいものしか手に入らなかった。鮮やかで美しい緑を表現できる顔料がなかったので、合成色料が発明されるまでは青と黄を混ぜ合わせて使っていた。そして、ついに緑の合成色料が誕生したものの、その鮮やかさの裏には毒性が隠されていた。1775年にカール・ヴィルヘルム・シェーレが化学調合した鮮やかなグリーンは大流行し、テキスタイルや壁紙にこぞって使われた。だが、その色料にはヒ素が多く含まれており、

＊ T.S.エリオット詩集『四つの四重奏』に収録された4部作のうち「バーント・ノートン」より（ロンドン、ホガース・プレス、1919年）（邦訳：2011年、岩波書店）

19世紀にはインテリアなど身近なものに使われたグリーンが原因で数えきれないほどの死者が出たのだ。

　そうした悲喜こもごもの複雑な歴史があるものの、グリーンは現代社会において特別な役割を担い続けている。20世紀後半以降、地球規模の環境保全へのニーズの高まりから、グリーンのシンボル性はますます増している。以前から「グリーンピース」やイギリスの「緑の党」をはじめ、環境保護の姿勢を強く打ち出すグループのシンボルカラーになっていたが、近年ではサステナブルな活動やエコロジーを意識した活動をおこなう大小のさまざまなグループが緑をブランディングに取り入れてイメージ戦略に活かしている。ごく最近では科学技術やバイオマテリアルの進化にともない、植物由来の天然色素が持つ新たな可能性に注目が集まっている。持続可能な社会に向けて、グリーンという色が「シンボル」の域を超え、現実のエネルギー源になりつつあるのだ。

グリーンの章：

グリーン・アース Green Earth

起源と歴史

あまり活気のないグリーン・アース（緑土色）は、海にかかる朝もやと湿った苔の色の中間にあるような印象だろうか。この色はセラドナイトや海緑石と呼ばれる比較的ありふれた天然鉱物に由来し、顔料として手に入りやすかった。

ルネサンス期のヨーロッパで活躍した画家ジョットらは、人物の肌を描くときに下地としてまずグリーン・アースを塗り、その上から半透明のクリムゾン（赤）を塗り重ねたという。そうすることで、いきいきとした生命感のある肌色を表現したのだ。しかし、残念ながらこの緑の顔料には耐久性がなかった。時の経過とともに劣化し、描かれた人物の肌はむしろ血の気の失せた不健康な色に変わってしまった。

17世紀には日本から美術工芸品の素材として「鮫皮」が輸出された。サメと呼ばれたものの実際にはエイの皮で、ざらざらとした表面には下地として半透明のグリーン・アースがよく塗られた。

現在

グリーン・アースのざっと洗い流したかのような自然な風合いがミニマリズムのアーティストたちに好まれている。その代表者、ロバート・マンゴールドはグリーン・アースの透明感を抽象的な形と組み合わせた作品群を手がけている。《輪 Ring》のシリーズでは、アーティスト自身が手づくりした淡い色調の染料でシンプルな輪型のキャンバスをさまざまな色彩に染めている。

ヒント

主張の激しくないニュートラルなグリーンは基調色に適している。透明感を活かして何層にも塗り重ねると穏やかに発光するかのような表現が生まれる。ローズピンクやホワイトと合わせると優しくモダンな配色になる。

カラーコード
Hex値：#8ba26c
RGB：139, 162, 108
CMYK：49, 23, 70, 2
HSB：86°, 33%, 64%

別名
・テールベルト（Terre Verte）
・ヴェロナ・グリーン（Verona Green）

イメージ
・傷つきやすい
・支える
・心地よい

デザイン・文化に見られるアース・グリーン
・工芸品《鮫皮と木の眼鏡入れ Japanese wood and shagreen spectacle case by Rinkomoru Yoshigawa》日本 1890年頃
・カーペット「クレイ・グリーン」Studio RENS×Moooi Carpets 2020年

《蛍》上村松園 1913年

ベルディグリ Verdigris

起源と歴史

　不安定で変質しやすく毒性もある。ベルディグリは緑色のコントロールの難しさを体現する色だ。この気まぐれなグリーン・ブルーは、銅や青銅が酸化すると生成される錆（さび）の色、つまりは古くからおなじみの「緑青（ろくしょう）」の色である。ベルディグリという名前は「ギリシャの緑」という意味のフランス語（*vert de Grece*）に由来する。金属の表面に生じた錆をこそぎ取り、粉末状にしたものを画家たちが使い始めたのは中世ヨーロッパだったようだ。

　毒性があり変色しやすかったものの、ほかに鮮やかな緑色が出せる顔料がなかったので19世紀まではベルディグリが使われ続けた。インドやペルシャでは、黒や茶色に変化するのを防ぐためにサフランが混ぜられた。後にもっと安定して長持ちする色料が開発されると、この扱いにくい顔料はあまり使われなくなった。

現在

　自然が織りなす美しい緑青（ろくしょう）は現在でもエレガントな銅製の屋根などに見ることができる。なんといっても有名なのはアメリカのランドマーク「自由の女神像」だ。同じ錆（さび）の仲間でも赤錆は鉄を腐食してしまうのに対し、緑青は銅を守るようにして上に幾層にも重なっていく。

　現代人の好みはしだいに変化し、日本の「わびさび」文化の影響も受けて、最近は自然な風合いが持つ価値や個性が見直されている。その流れのなかで、ベルディグリもまた人気色になりつつある。ロンドンに拠点を置くデザインスタジオ「イェンチェン＆ヤウェン（Yenchen & Yawen）」の《酸化の景色（Landscape of Oxidation）》というプロジェクトでは、3種類の器で赤錆、緑青、金継ぎ（欠けた陶磁器の破片を金で修復し元よりもさらに美しくする日本の伝統技）の魅力を表現している。《ブルー・パティーナ（緑青）》というコレクションは、ガラス、銅、真鍮（しんちゅう）、鉄粉などにジェスモナイト*を混ぜ、湿った土のなかに数日間埋めて生じる緑青の美しさと、その変化を楽しむアート作品である。

カラーコード
Hex値：#27a1a4
RGB：39, 161, 164
CMYK：77, 16, 38, 0
HSB：181°, 76%, 64%

イメージ
・気まぐれ
・うっとりさせる
・個性的

*訳注：ジェスモナイト　有機溶剤を含まない水性の造形材料

**アート・デザイン・文化に
見られるベルディグリ**
・彫刻《自由の女神》
　フレデリク・オーギュスト・
　バルトルディ　1886年
・ホームウェア《花瓶 トゥルー
　カラーズ　True Colours
　vases》レックス・ポット
　Lex Pott　2017年
・電気器具付属品《ベルディグ
　リ・シリーズ　Verdigris
　range》フォーブス&ローマッ
　クス　Forbes and Lomax
　2021年

ヒント

　半透明のグリーン・ブルーを塗り重ねると混ざり合った部分が
にじんで美しい。ベルディグリの不完全で移り気な魅力を楽しも
う。コッパーやブラス（真鍮）と合わせればミニマルでモダンな表
現になる。

《酸化の景色
Landscape of Oxidation》
イェンチェン&ヤウェン　2018年

マラカイト（孔雀石）Malachite

起源と歴史

　濃い緑色のマラカイト（和名：孔雀石）は銅を含む二次鉱物で、古代エジプトでは粉状にした顔料を装飾画やアイシャドウに使っていた。古代エジプトの人々は愛と美の女神ハトホルを「マラカイトの貴婦人」と呼び、この鉱物や色を神聖なものと位置付けていた。古代アステカ文明の人々もマラカイトで装飾品をつくっていた。緑の濃淡による独特の縞模様に魔除けの力があると信じられ、人々はお守りとしてマラカイトを身につけた。日本の画家・渡辺華山が描いた《佐藤一斎（五十歳）像》（1821年）には、衣装に孔雀色の濃淡が繊細に塗り重ねられ、深みのある立体感が表現されている。

　マラカイトはグリーンの顔料のなかでも歴史が古く、（毒性がある場合は）鮮やかな発色で耐光性もあった。顔料として使いやすい鉱物の形で手に入るのも便利だったが、ヨーロッパではあまり普及しなかった。なぜなら、マラカイトの発色をよくするためには、あまり細かいパウダー状にしないほうが良かったからだ。テンペラ画やフレスコ画の場合にはまだ使えたが、ルネサンス期に油彩が主流になるとパウダー状の顔料のほうが扱いやすかった。

現在

　純粋な鉱物顔料としては使用されなくなったが、古代の輝きを思わせるマラカイト・グリーンという色は、歴史や芸術への関心から再び人気を集めている。2020年にはイタリアのデザイン会社「フォルナセッティ（Fornasetti）」がマラカイト・グリーンを斬新な形でインテリアに取り入れた。天然のマラカイトに見られる美しい模様からインスピレーションを得たデザインとモダンなフォルムとを組み合わせ、上質な高級感のなかに過去と現在をうまく表現している。

カラーコード
Hex値：#126d64
RGB：18, 109, 100
CMYK：87, 37, 61, 20
HSB：174°, 84%, 43%

別名
・マウンテングリーン
　（Mountain Green）
・グリーン・ベルディテ／岩緑青
　（Green Verditer）
・グリーン・バイス（Green Bice）

イメージ
・別世界
・貴重
・高級感

右：《アンユージュアル・リビングルーム・コレクション》より「マラカイトのリビングルーム」フォルナセッティ Fornasetti 2020年

アート・デザイン・文化に見られるマラカイト
・《ターコイズ、マラカイト、牡蠣殻で装飾した頭飾りまたはヘルメット》アステカ文明、メキシコ 1400-1521年
・絵画《菊》ピエール＝オーギュスト・ルノワール 1881-2年
・アクセサリー「アセテート・ボックスバッグ Stelis Bag」モンタナス Montunas 2019年

ヒント

　古代文明のイメージ、鉱物の美しさ、自然が織りなす繊細な模様が、今も変わらぬマラカイトの魅力だ。フォルナセッティ社の配色にヒントを得て、マラカイト・グリーンにファクトリー・イエロー、オイスター・グレイなどを合わせてみよう。高級感のあるブランドやパッケージデザインに向いている。

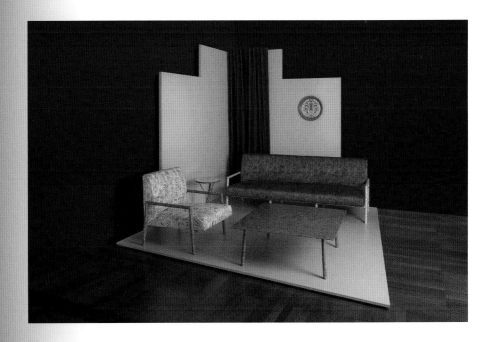

セラドン（青磁色） Celadon

起源と歴史

　12世期、朝鮮半島の高麗を訪れた中国の学者・徐兢（じきょう）は、その土地の青磁を見て感嘆し、こう述べた。「高麗には翡色（ひしょく）（カワセミの色）と呼ばれる神妙な青磁が焼造され、人々これを珍重し、近年とみにその技も巧みで色沢（しょく）はもっとも佳ろしい*。」青磁に特徴的な緑色は、釉薬や粘土に含まれる高濃度の鉄分が焼成されることで発色する。この手法はもともと中国で紀元後25年から220年頃にかけて完成した。

　徐兢の記録にも見られるとおり、青磁の色はグレイ・グリーン（灰みの緑）からグリーン・ブルー、濁りのあるオリーブ・グリーンまで、産地や手法の違いにより色合いが微妙に異なる。こうした青磁そのものの特徴により、色名としてのセラドン（青磁色）が指す色合いも任意的だ。ヨーロッパでは、17世紀にフランスで流行した田園小説『アストレ』の主人公の名前にちなんで色名が決まった。当時この物語は喜劇として公演され、主人公セラドンの薄緑色の衣装が中国から輸入された青磁の色に似ていたため、その色を「セラドン」と呼ぶようになったのだ。

現在

　セラドンは現在でも中国、東アジア、東南アジアでつくられる青磁器の色としてとらえられるが、現代デザインではもっと透明感がありデリケートな色みを指すことが多い。中国や朝鮮半島の美術、またバウハウスの理念に影響を受けたイギリス人セラミック・アーティストのエドムンド・デ・ワール（Edmund de Waal）は、セラドン・カラーの磁器を建築的空間に配置したインスタレーションで謎めいたはかない美を表現している。

カラーコード
Hex値：#90b7af
RGB：144, 183, 175
CMYK：45, 15, 32, 0
HSB：168°, 21%, 72%

イメージ
・謎めいた
・優雅な
・平和な

---

* Gompertz, G. St. G. M., 'The "Kingfisher Celadon" of Koryo', Artibus Asiae, vol. 16, no. 1/2, 1953

アート・デザイン・文化に見られるセラドン（青磁）
・青磁器《埋葬用の壺》
　釉薬をかけたせっ器
　中国・元朝 1279–1368年
・彫刻《アナザー・スカイ
　Another Sky》エドムンド・デ・
　ワール Edmund de Waal
　2016年
・ファッション《2021年春夏
　プレタポルテ コレクション》
　ヴィンス Vince

ヒント

　ポーセレン・ホワイト（磁器のような白）、クリーム、ダックエッグ・ブルー（鴨の卵のような青）、バター・イエロー（バターのような黄）などの柔らかい色みと組み合わせると、軽やかで静かな印象のインテリア空間がつくり出せる。

《朝鮮 高麗時代の青磁 梅瓶》
12世紀

フーカスグリーン Hooker's Green

起源と歴史

生い茂る葉のように鮮やかなグリーンは、「イギリス王立園芸協会（RHS）」専属の植物画家ウィリアム・フッカーが1815年に発明した。本物の葉のような色を求め、フッカーは当時使われ始めたばかりのプルシアン・ブルー（p.178参照）とガンボージ・イエローの顔料を混ぜ合わせた。ガンボージとはカンボジア周辺に育つ落葉樹の名前で、その黄色い樹液が顔料として使われていた。調合の結果、濃度により異なる表情を見せる複雑な色合いのグリーンが完成し、植物を描くのにまさにうってつけだった。

フッカーはRHSのために数百万点もの植物画を描いたが、特に果樹の描写でこのフーカスグリーン（フッカーのグリーン）が素晴らしい力を発揮した。そのためフッカーは「歴代最高の果樹園芸専門画家」とも呼ばれた*。しかし、フーカスグリーンという色にはさらなる活躍の場があった。当時の顔料メーカーはただちにこの色の真価を見抜いて商品化し、多くの画家たちがそれを使用した。そして現代においても、フーカスグリーンのペイントや絵の具は人気色のひとつとして生産され続けている。

現在

自然界への関心の高まりと伝統的で懐かしいデザインへの回帰から、フーカスグリーンは現在も好んで使われる。2017年にはパントン社が「グリーナリー」という色を「カラー・オブ・ザ・イヤー」に選んだ。この色はもちろんフーカスグリーンから着想を得たもので「自然界のニュートラルカラー」というキャッチコピーがつけられた。

フッカーの時代のような伝統的な植物画のスタイルは現在再び脚光を浴び、インテリアデザインに盛んに取り入れられている。2015年には現代ボタニカル・アーティストのケイティ・スコットが「ナイキ」とコラボレーションを組み、スタイリッシュな植物画をあしらったシューズが発売された。

カラーコード
Hex値：#00a63d
RGB：0, 166, 61
CMYK：82, 6, 100, 0
HSB：142°, 100%, 32.5%

別名
・ボタニカル・グリーン
（Botanical Green）

イメージ
・栄養のある、豊かな
・育む
・自然、ナチュラル

*『植物図譜の歴史—ボタニカル・アート芸術と科学の出会い』ウィルフリッド・ブラント著、森村謙一訳、八坂書房 2014年
(Blunt, Wilfrid and Stearn, William T., The Art of Botanical Illustration (Revised 2nd edition), Suffolk: ACC Art Books, 1994)

**アート・デザイン・文化に
見られるフーカスグリーン**
・絵画《ムサシアブミ No.3
Jack-in-the-Pulpit No. 3》
ジョージア・オキーフ 1930年
・プリント《『ボタニカム』より
「植物の木」Tree of Plant
Life form Botanicum》
ケイティ・スコット 2016年
・デザイン《色見本 Pantone
15-0343「グリーナリー
(Greenery)」》パントン・カラー・
オブ・ザ・イヤー 2017年

ヒント
　ボタニカル・グリーンは現代デザインの配色にも欠かせない。
自然を連想させる緑色は空間に豊かな印象を与えてくれる。土っ
ぽいピンクやローシェンナ(黄赤の土色)と組み合わせ、チャコー
ル・グレイでバランスを取ると引きしまる。

《赤道のジャングル
The Equatorial Jungle》
アンリ・ルソー 1909年

エメラルド・グリーン
Emerald Green

起源と歴史

　鮮やかに輝く貴石エメラルドはその美しさで人々の心を魅了し、パワーストーンとして癒しの効果もあるといわれる。そのため、昔から特権階級のシンボルであり、羨望や嫉妬の対象でもあった。1世紀ローマの歴史家、大プリニウス（ガイウス・プリニウス・セクンドゥス）は、「この緑色以上に緑色のものはない」と記し、エメラルドを眺めることで眼の疲れを癒す効果があると説明した。古代ローマの皇帝ネロは、おそらくその理由から、円形闘技場で剣闘士たちの血まみれの戦いを見物するときにエメラルドのサングラスを着用したという。

　最初の「エメラルド・グリーン的な」顔料は18世紀につくられた。パリス・グリーンと名付けられたその緑色は鮮やかで個性的だった。ほかにもプルシアン・ブルーを発明したことでも知られる化学者カール・ヴィルヘルム・シェーレが銅にヒ素を混合してつくったシェーレ・グリーンなど、同じような緑色がいくつも開発され、どれも大変な人気があった。これまでのグリーンより発色がよく長持ちする合成色料は市場に出回り、多くの印象派の画家たちがこぞって使用した。その一人、ポール・ゴーギャンは様式化した野菜や果物、自然豊かな戸外の緑を描くためにエメラルド・グリーンを愛用した。ヴィクトリア朝時代のイングランドでは、それまでのグレイ一色の工業的色彩から脱却するように、衣類、壁紙、カーテン、ろうそく、造花やおもちゃまで、ありとあらゆるものがエメラルド・グリーンで彩られた。だが、塗り方が悪いと簡単にはがれ落ち、毒性のある色料がそこらじゅうに散らばって多くの死者を出す結果につながった。こうした背景があったにもかかわらず、画家たちはシェーレが発明したグリーンを1960年代になるまで使い続けた。

現在

　もちろん現在ではヒ素を含むエメラルド・グリーンは使われておらず、もっとポジティブなイメージが持たれている。アート、インテリア、ファッションに取り入れられたエレガントで宝石のようなその色は私たちの眼と心を癒してくれる。色の寒暖差のコントラストを巧みに表現する現代アーティストのプトレミー・マン（Ptolemy Mann）は、絵画やテキスタイル作品にエメラルド・グリーンをうまく配色している。

カラーコード
Hex値：#439876
RGB：67, 152, 118
CMYK：89, 4, 63, 28
HSB：156°, 56%, 60%

別名
・シェーレ・グリーン
　（Scheele' s Green）
・パリス・グリーン
　（Paris Green）

イメージ
・富裕
・嫉妬
・心地よい

アート・デザイン・文化に
見られるエメラルド・グリーン
・絵画《家 Te Fare》
　ポール・ゴーギャン　1892年
・衣装デザイン「映画『つぐない』
　より キーラ・ナイトレイ演じる
　主人公セシーリアの衣装」
　ジャクリーヌ・デュラン　2007年

ヒント

　スプリット・コンプリメンタリー（分裂補色配色）で、暗度と
彩度の高いエメラルド・グリーンにホットピンクやオレンジを合わ
せてみよう。淡く涼しげなラベンダーをアクセントにするとさらにバ
ランスよくインパクトのある配色が完成する。

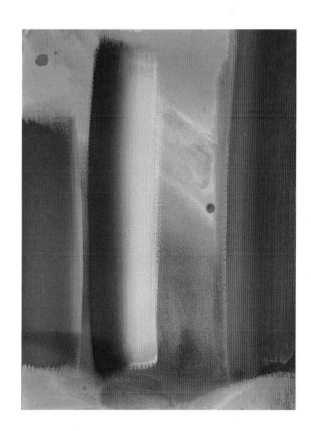

《エクリプス（日食）
Eclipse Painting》
プトレミー・マン
Ptolemy Mann　2020年

ボトル・グリーン Bottle Green

カラーコード

Hex値：#1b5716
RGB：27, 87, 22
CMYK：84, 39, 100, 38
HSB：115°, 75%, 34%

イメージ

・上質な
・卓越した
・繁栄

起源と歴史

　英語の童謡「みどり色の5本のビン（Ten green bottles sitting on a wall）」から、スーパーマーケットに並ぶ緑色のワインボトルまで、私たちは瓶といえばまず緑色を思い浮かべる。それは日常生活の一部であり、理由を深く考えたこともない。だが、緑色の瓶の歴史は意外に古い。古代インドやヒンドゥー教社会では、クンバ（kumbha）と呼ばれる水おけが深い緑色に塗られていた。中国・清王朝（1644-1912）では緑色の釉薬をかけて焼いた透き通るような瓶型の磁器が一般的だった。

　現在、ガラス瓶が緑色をしているのにはもっと機能的なわけがある。ガラス瓶が大量生産されるようになったのは産業革命以後のことだが、ワインはそれよりはるか昔からつくられていた。産業革命以前、ワインがガラス容器に入れられるのは、贅沢品として特別に扱われる場合だけだった。17世紀にはイギリスの冒険家で博学者のケネルム・ディグビー卿が、より頑丈で濃い緑色のワインボトルを発明した。濃い色には、中のワインを紫外線から守るはたらきがあった。そのため現在でも緑色のワインボトルや、茶色のビール瓶など、飲み物を入れる瓶には中身の劣化を防ぐために色つきのガラスが使われている。

現在

　ワインボトルといえば緑色が一般的で、最近ではビールもよく緑色のボトルに入っている。フランス人デザイナーのロナン＆エルワン・ブルレックは、家具ブランド「ヴィトラ社」の花瓶コレクション「ヴァース・デクパージュ」にキーカラーとしてボトル・グリーンを取り入れた。円錐形のグリーンの花瓶に色彩対比のはっきりとした別のパーツを組み合わせ、それぞれがもろくはかないバランスを保っている。各パーツを組み変えて違う表情を楽しむこともできるようになっている作品だ。

ヒント

　ブランド戦略のメインカラーとしてボトル・グリーンを使えば上質でエレガントなイメージを伝えられる。色相環で隣にあるアクアブルーや黄みのサップグリーンと組み合わせるとナチュラルな調和が表現できる。

《ヴァース・デクパージュ「バー」 'Barre' from the Vases Découpages collection》 ロナン＆エルワン・ブルレック （ヴィトラ社）2020年

ターコイズ（トルコ石）Turquoise

起源と歴史

　明るいブルーグリーンの色名の由来となった鉱物のターコイズは、6000年前から古代エジプトやペルシャで装飾に使われていた。紀元前200年頃からはネイティブ・アメリカンの人々も装飾にターコイズを使用していた。この鉱物は16世紀にシルクロードを経由してヨーロッパに持ち込まれ、フランス語で「トルコの石」を意味する言葉（pierre tourques）からターコイズ（トルコ石）と名付けられた。

　ターコイズは銅やアルミニウムを含むリン酸塩の岩石に水が作用したときにできる天然鉱物で、その組成によりさまざまなニュアンスの青緑色が生まれる。比較的柔らかく、加工がしやすいため、昔から職人たちが好んだのも不思議はない。ペルシャでは「勝利」を意味する「フェロザー（pirouzeh）」という名前で呼ばれ、持ち主を守る力があると信じられていた。そのため、古代ペルシャでは短刀や馬具の飾りに使用したり、もちろんお守りとしても身につけた。宗教的な建物の飾りにも使われたが、特にターコイズで有名な宗教建築といえば、トルコのイスタンブールにある「スルタン・アフメット・モスク」通称ブルーモスクである。モスクの内部は壁一面に伝統的なターコイズ・カラーのイズニック・タイルがはめ込まれている。

現在

　20世紀から21世紀にかけてのターコイズの人気はとどまる所を知らず、新しい使い方やイメージもますます発展した。カリフォルニア州、パームスプリングスで花開いた1950-60年代のミッドセンチュリー・デザインでもターコイズが流行し、チャールズ・イームズやヴェルナー・パントンなどの有名デザイナーが家具や照明のデザインにこの明るいトーンを積極的に取り入れた。大量消費主義社会が始まった1980年代から90年代にかけては、イタリア発のデザイナー集団「メンフィス（the Menphis Group）」などが、派手で明るいレトロな配色にアクセントとしてターコイズを使用した。

カラーコード
Hex値：#40cecb
RGB：64, 206, 203
CMYK：62, 0, 27, 0
HSB：179°, 69%, 81%

イメージ
・健康
・空想
・楽観主義

アート・デザイン・文化に見られるターコイズ
・セラミック「ブルーモスク」イスタンブール、トルコ　1609-16年
・シルクスクリーン・プリント《シルバー2 Silvered 2》ブリジット・ライリー　1981年
・壁画《ドリーム・カム・トゥルー・ビル（オールド・ストリート、ロンドン）Dream Come True Building, Old Street, London》カミーユ・ワララ　2015年

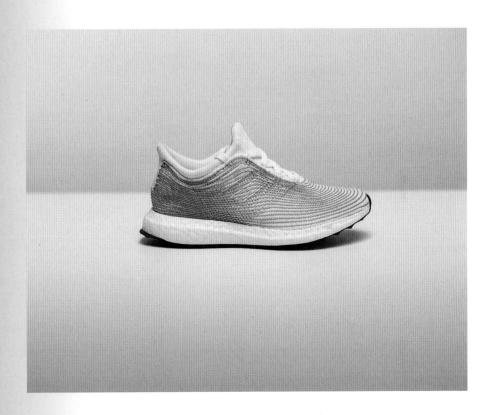

海洋廃棄物をアップサイクルした
素材「パーレイ・オーシャン・プ
ラスチック (Parley Ocean
Plastic)」を使用したランニング
シューズ「ウルトラブースト DNA
(Ultra Boost DNA)」パーレイ
×アディダス 2018年

ターコイズには健康的で楽園主義的なイメージがある。その
清らかですがすがしい色は新しいライフスタイルの提案や心の平
静さにも結びつけられる。「アディダス」は海洋プラスチックを再
利用した新素材をフットウェアに取り入れ、そのベースカラーに
ターコイズを選んだ。環境問題に取り組む真摯な姿勢やクリー
ンなイメージを色に託して伝えようとしている。

ヒント

　ターコイズの濃淡だけで現代的なモノクロームを表現してみよ
う。眼に優しくマインドフルなデザインができ上がる。

オリーブ Olive

起源と歴史

　古代ギリシャ時代から平和でのどかに生い茂るオリーブの木の実の色。だが同時に、周囲に溶け込んでカモフラージュしやすい軍服にもこの色が使われてきた。(p.302「カーキ」も参照)

　戦争や平和とのリンクとは別に、この落ち着いたオリーブ色はデザイン分野でも活躍している。20世紀初頭にアール・ヌーヴォーと呼ばれる美術運動が盛んになり、デザインや建築に様式化された植物などの自然がよく描かれるようになった。そのなかで、オリーブは重要な配色のひとつとして多用されたのだ。暖かみがあり控えめなオリーブはインテリアデザインにも向いている。原色を多用したバウハウスのデザインでさえ、天井や壁にオリーブを取り入れて差し色にした。その後、オリーブの魅力が真に花開いたのは戦後のアメリカでミッドセンチュリーモダンと呼ばれるデザインが流行したときだった。仕切りのないオープンな空間にゴールドやコーラルと合わせてオリーブが使われ、地に足のついた安定感や洗練された楽観主義を表現するのに一役買った。

現在

　エレガントで時代を超えた美しさがあり、少しだけひねりもある。そんなミッドセンチュリーモダンのデザインとオリーブ・グリーンには現代のインテリアに投入しても色あせない魅力がある。1950年代のデザインに影響を受けたハーマン・ミラーやエーロ・サーリネンらが現代家具のデザインにオリーブ・グリーンを活用している。

ヒント

　過去のヒットデザインを参考に、暖かみのあるオリーブをニュートラルカラーとして使ってみよう。ブラス(真鍮)やマスタード・イエローと組み合わせると健康的で深みのある印象に。インテリアに適している。

カラーコード

Hex値：#868349
RGB：134, 131, 73
CMYK：47, 37, 83, 13
HSB：57°, 46%, 53%

イメージ

・成長
・平和
・強さ

アート・デザイン・文化に見られるオリーブ

・絵画《オリーブ畑 The Olive Trees》フィンセント・ファン・ゴッホ 1889年
・家具《チューリップ・サイドチェア ホワイトとオリーブ・グリーン》エーロ・サーリネン 1950年代
・テキスタイル《牧草 Pasture》アニ・アルバース 1958年

塗料メーカー リトルグリーン社の「オリーブ・カラー（72）」

ヴァイタル・グリーン Vital Green

起源と歴史

　ヴァイタル・グリーンとはパーソナル・コンピュータ (PC) の普及とともに進化した近代生まれの緑色を指す。初期のPCモニタに使われていたのはブラウン管で、ブラウン管は電子ビームを「蛍光体」に照射して発光させつつ、そのビームを偏向することで図像を表示する、陰極線管 (CRT) と呼ばれる真空管を応用した装置である。グリーンの蛍光体はレッドやイエローよりも安価で長持ちし、黒の背景に対してくっきりと見える。また、黒い画面に文字が白だときっと目が疲れてしまうだろう。緑の波長は眼に優しくて見やすいが、同時に視線を集めて注目させやすくするという効果もあった。

　モニタの技術はその後も進化したものの、「デジタルといえば黒い画面にグリーンの文字」というイメージが定着した。1980年代から90年代にかけて、シンセサイザーや自動演奏が流行すると電子音楽が盛んになり、当時の12インチシングルのCD本体ラベルには蛍光グリーンがよく使われた。流行りのTシャツには鮮やかなグリーンの文字がプリントされ、その横にはスマイルマークやエイリアンの頭が描かれていた。

　見渡してみれば今でも周囲にはヴァイタル・グリーンがたくさんある。交通信号のゴーサインは万国共通で緑色だ。道路標識、スイッチ、応急処置用の医療キット、薬局、非常出口など、大切な場所には目印として明るいグリーンが使われている。

現在

　現代のデザイナーたちは、一昔前のデジタルテクノロジーが懐かしいからという理由だけでヴァイタル・グリーンを選んでいるわけではない。デジタル社会に生きる私たちは、自然の緑よりも、画面上のグリーンを眺めている時間のほうが多いのだ。デジタル空間における色選びや色彩理論はますます重要になっている。「Snapchat（スナップチャット）」などの人気コミュニケーションアプリでは、まだ友達になっていない人からのメッセージはヴァイタル・グリーンで表示し、すでに友達になっている人からのメッセー

カラーコード
Hex値：#7cf135
RGB：124, 241, 53
CMYK：50, 0, 100, 0
HSB：97°, 78%, 95%

イメージ
・レトロ
・デジタル
・ポジティブ

アート・デザイン・文化に見られるヴァイタル・グリーン
・コンピュータ「CRTモニター」
　IBM 1972年
・アクセサリー《ナイロン・クラッチバッグ 蛍光グリーン》
　プラダ 2018年
・ファッション《2021年プレタポルテ・コレクション》
　ボッテガ・ヴェネタ 2021年

*訳注：ハイライン・パーク　廃線になったマンハッタンの鉄道の高架跡地を空中庭園のように緑化した遊歩道。年間800万人以上が訪れる名所となっている。

ジはソフトブルーで表示するといった工夫をしている。2020年には、ニューヨークの人気スポット「ハイライン・パーク（High Line park）*」にソーシャル・ディスタンスを呼びかけるためのグラフィックが鮮やかなヴァイタル・グリーンのドットで描かれた。

ヒント

　Webサイトやアプリを制作するときは鮮やかなグリーンをデザインに起用するといい。ヴァイタル・グリーンは目につきやすく思わずクリックしたくなる。モニタなどのインターフェースには、色彩対比（黒と緑など）を意識して何よりも見やすさを心がけたい。見やすい画面はどんな人々もアクセスしやすい。

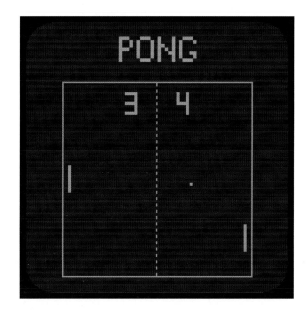

右：《「ポン」ビデオゲーム》
アタリ 1972年

次ページ：マンハッタンの空中庭園「ハイライン」のために制作した「ソーシャル・ディスタンスのグラフィック」ポーラ・シェア（ペンタグラム）2020年

見渡してみれば
今でも周囲には
ヴァイタル・グリーン
がたくさんある。
交通信号の
ゴーサインは
万国共通で緑色だ。

モダンミント Modern Mint

起源と歴史

　ほかの近代的な色と同様、ミントカラーもテクノロジーの進化から誕生した。アメリカで1945年にダニエル・ガスティンが特許を取得した「粉体塗装（パウダーコーティング）」という技術のおかげで、ミントのような明るいパステル調の色を粉体でしっかりと着色させられるようになった。20世紀中頃にはプラスチックという新素材が手に入りやすくなったことや、自動車産業が発展したことにともない革新的な技術が次々に生み出された。そして、新しい技術がほかの産業にも応用されてライフスタイルが大きく進化したのだ。

　1950年代にはジャン・プルーヴェやディーター・ラムスに代表される工業デザイナーたちが優しいニュアンスの三次色をインテリアデザインに取り入れ、世界中で高く評価された。パステルカラーの人気は1990年代まで続き、バスルームや寝室にも使われたり、「Naf Naf（ナフナフ）」のストリートウェアも大流行した。しかし、50年代に思い描かれた大量消費社会の最新トレンドは20世紀が終わる頃には一気に衰退し、新世代の若者たちは自分たちの手で新しいビジョンを描くようになった。

現在

　フレッシュでクリーンで未来的。そんなイメージのミント・グリーンはほかのパステルカラーが「思い出の色」となったのとは一線を画し、今のデザイン界でも現役で活躍中だ。インスタ映えする色として若者に人気で、植物や自然を想起させるためユートピア的な楽観主義のシンボルになっている。

　ファッション界でも未来的なイメージと結びついている。「グッチ」のクリエイティブ・ディレクター、アレッサンドロ・ミケーレは2020年春夏コレクションに、メンズ、ウィメンズともにミント・グリーンに身を包んだモデルたちを送り込んだ。アイルランド人デザイナー、ロビン・リンチは、若手デザイナーによる合同ファッションショー「ファッション・イースト・コレクション」にミント・グリーンを主要な色として起用した。

カラーコード
Hex値：#9be9c2
RGB：155, 233, 194
CMYK：36, 0, 33, 0
HSB：150°, 33%, 91%

イメージ
・フレッシュ
・若さ
・革新、イノベーション

アート・デザイン・文化に
見られるモダンミント
・家具《スタンダードSPチェア》
　ジャン・プルーヴェ（ヴィトラ社）
　1934/1950年
・車《クーペ デビル「プリンセス・
　グリーン」》キャデラック　1956年
・建築《緑色のタイルを使用した
　小学校の校舎（ブーム、ベル
　ギー）》アレアル・アルキテクテン
　Areal Architecten　2016年

ヒント

　フレッシュなグリーンには気持ちを穏やかにさせる視覚効果が
あるため公共の場に最適。壁、床、そのほかの目立つ表面にミ
ントカラーを主役色として使うといい。差し色を入れるなら補色
の柔らかいローズピンクがおすすめ。

《2020年春夏メンズウェア・
コレクション》ロビン・リンチ

エレクトリック・ライム
Electric Lime

起源と歴史

　蛍光顔料は1933年に10代のアメリカ人兄弟が偶然発明した。19歳の兄、ロバート・スウィッツァーは勤務先の工場で作業中に頭を打ってしまい、数カ月の間、自宅の暗い地下室で療養していた。弟のジョセフは暗闇で光を使うマジックショーをするため、その地下室でブラックライトを使った実験をおこなっていた。2人が光る鉱物とベタベタするカラー塗料を混ぜ合わせてマジックの効果を試していたところ偶然「蛍光色」ができ上がり、現在の「デイグロ（Day-Glo）*」の商品の前身となったのだ。

　柑橘類のライムに似た黄緑色を指す「ライムグリーン」はヴィクトリア朝時代のデザインにも使われており、古くは1890年の記録に名前が登場する。しかし、「デイグロ」が発明されてからは蛍光色のグリーンとして新たな道を歩み出した。1960年代に流行した未来志向のデザインの波に乗り、インテリアやアパレルに盛んに取り入れられた。そして、なかでもハイオク燃料を搭載したエネルギッシュなスポーツカーの色として不動の人気を誇ることになる。そのきっかけは、「クライスラー」が1970年に「PPG社」と共同で傘下の「ダッジ」ブランドから発売したライムカラーの車体の「サブライム」である。それ以降、遠目からでも一際目立つ派手な色のスポーツカーが次々に登場した。

現在

　ライムグリーンと車の関係は今なお続いている。だが、2016年に「トヨタ」が発表したプリウスの「サーモテクト ライムグリーン」はサステナブルな社会に向けた新しい理念を持つものだ。このライムグリーンの塗装には特殊な新技術が取り入れられている。従来の塗装に含まれていた「カーボンブラック粒子」は太陽光の赤外線を吸収して車体の表面温度を上げる要因になっていた。そのカーボンブラック粒子の代わりに赤外線を反射させる粒子を混合させることにより、車体の表面温度の上昇を抑えることに成功した。それにより室内温度の上昇も抑えられ、エアコンの効率がアップし、エネルギー節約と燃費性能の改善につながって

カラーコード
Hex値：#00bb74
RGB：0, 187, 116
CMYK：76, 0, 75, 0
HSB：157°, 100%, 73%

別名
・ネオングリーン（Neon Green）
・ライムグリーン（Lime Green）

イメージ
・派手
・興奮、エキサイティング
・発明

アート・デザイン・文化に見られるエレクトリック・ライム
・車《サブライム・グリーン》ダッジ 1970年／2019年
・ファッション《2015年春夏コレクション》ナイキラボ×サカイ 2015年
・車《サーモテクト ライムグリーン》トヨタ 2016年
・ファッション《メンズウェア 2021年春夏コレクション》イッセイミヤケ Homme Plisse Issey Miyake 2021年

---

*訳注：Day-Glo（デイグロ）はアメリカで1946年にスウィッツァー兄弟が設立した蛍光顔料の会社。Day-Glo社の商品は蛍光顔料の代名詞として世界中で使われている。

「ルイ・ヴィトン」ネオングリーン
のポップアップストアとヴァージ
ル・アブローの2019年秋冬メ
ンズウェア・コレクション（ニュー
ヨーク）

いる。また、「ナイキ」も数十年前から蛍光グリーンを使用してき
たブランドだが、2015年には日本のファッションブランド「sacai
（サカイ）」とコラボレーションを組み、女性の動きやシルエットに
合わせてライムグリーンが美しく光るようなコレクションを発表し
た。

ヒント

エレクトリックでクールなライムにホットなオレンジを組み合わ
せ、色の寒暖差で斬新なコントラストを演出しよう。

クロロフィル Chlorophyll

起源と歴史

　クロロフィルは植物に含まれる透き通った緑色の色素で「葉緑素」とも呼ばれ、光合成に中心的な役割を果たしている。葉が緑色に見えるのは、クロロフィルが青と赤の光の波長を吸収し、緑の光を反射させるためだ。光合成は植物が太陽エネルギーを利用して成長するために欠かせないプロセスである。緑色は新しい生命、健康、春の芽吹きなどのイメージにつながる。

　1817年にフランスの科学者、ジョゼフ・ビヤンネメ・カヴェントゥとピエール＝ジョセフ・ベルティエが初めてクロロフィルの単離*に成功して以来、この光に反応する物質は写真技術の発達にも大いに貢献した。1940年代にはイギリスの天文学者で数学者のジョン・ハーシェルが、花びら、葉、野菜から採った水分を使って感光性のある液体を調合し、写真のネガを紙にワックスで印画する「アンソタイプ（anthotype）」という手法を発明した。「アンソ（antho）」とはギリシャ語で花という意味だ。

　現在、クロロフィルは主に食品の着色に使われている。だが、クロロフィルの発見よりもかなり前に、この色素が悪名をとどろかせる事態が起きていた。それは「アブサン」という薬草系リキュールの流行である**。18世紀後半にスイスでつくられ始めたその酒は「緑の妖精」とも呼ばれた。アブサンの緑色は、原料の植物（ニガヨモギなど）に含まれるクロロフィルに由来していた。

カラーコード
Hex値：#96d69c
RGB：150, 214, 156
CMYK：42, 0, 51, 0
HSB：126°, 30%, 84%

イメージ
・成長
・浄化
・生命力

*訳注：単離　生物組織から特定の細胞、遺伝子、たんぱく質などを分離すること。

**訳注：アブサンは19世紀フランスで芸術家たちが愛飲し作品の題材にもなった。安価なアルコールだったため多数の中毒者・犯罪者を出し、画家ロートレックやゴッホなどもアブサン中毒で身を滅ぼしたと伝えられる。ニガヨモギに含まれる成分で幻覚などの向精神作用が引き起こされ、20世紀初頭にはスイス、ドイツ、アメリカで製造・流通・販売が禁止された。

現在

　クロロフィルは現在、着色料としてだけでなく健康によいサプリメントとしても注目を浴びている。アンチエイジングやデオドラントの効果が期待され、がん治療にも一部取り入れられていて、その可能性は幅広い。また、光に反応する性質もテクノロジーの進歩に貢献し続けている。オランダ人デザイナー、マージャン・ファン・オーベル（Marjan van Aubel）は光合成からヒントを得て革新的なソーラーパネルを制作した。窓枠に取り付けた色素増感型ソーラーパネルに太陽光を充電し、USBポートを通じて家電に電力を供給できるというものだ。

ヒント

　クロロフィルのピュアなグリーンは人の心を落ち着かせる。まるで自然のなかにいるかのような心地よさや、健康志向の高まりを感じさせてくれる。そのため、ヘルスケアやウェルネスの分野にこの色を取り入れればポジティブなメッセージを伝えられる。また、市場で急成長中の植物由来の食品に関わるデザイン、環境問題、エコをテーマにしたデザインに信頼性を与えてくれる色である。

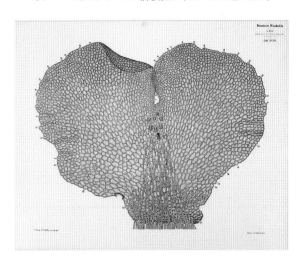

《L.クネイの「植物図譜」より
「アピディウム・フィリクス」
Apidium Filix form
Botanische Wandtafeln by
L.Kny》1874年

アルジェ／アルジー （藻）Algae

起源と歴史

　これまで、人類は、鉱物・植物・動物・土壌など、地上にあるさまざまなものから色を見つけ出し、染色や装飾に活用してきた。今後はもしかしたら海にその原料を求めるようになるのかもしれない。しかしそれは、完全に新しいコンセプトというわけでもない。たとえば、古代フェニキア人は海岸に生えている地衣類（オーキルorchil）から紫色の染料をつくっていた。ティリアン・パープル（p.202参照）の安価な代替品である。また、ダルスという赤藻類の海藻やクロタルという岩に生える地衣類は、何百年間も前からスコットランドで染色材として使われていた。クロタルに関しては「匂い」をつける目的もあったようで、スコットランドの老舗ツイード店「ハリス」の商品にも特徴的な匂いがある。いずれにせよ、20世紀半ばになるまで、科学者たちは海藻の種類による色の違いについて解明しきれていなかった。色料としての海藻のポテンシャルが明らかになってきたのはつい最近のことなのだ。特にここ数年はスピルリナに注目が集まっている。スピルリナとは塩水にすむ青緑色をした藍色細菌（シアノバクテリア）で、多くの可能性を秘めた植物プランクトン（微細藻類／マイクロアルジェ）として盛んに研究されている。

現在

　あの小さなスピルリナには抗酸化物質がたっぷり詰まっていることがわかり、近頃はサプリメントや健康食品に積極的に取り入れられている。だがそれだけではなく、持続可能な環境づくりに役立つ可能性があるといわれ、人気と名声はさらに爆発的に広がった。バイオ建築事務所の「エコ・ロジック・スタジオ（ecoLogicStudio）」は、スピルリナの力を活用してサステナブルな住空間が実現できないか可能性を模索している。スピルリナの栄養豊富な成分は食糧源としても有効だし、光合成のプロセスはエネルギー源確保と環境保護の両方の問題を同時に解決できるかもしれない。つまり、スピルリナが二酸化炭素を吸収することで公害を減らし、同時に新鮮な酸素を創出してくれる。循環型で共生的なアプローチが期待できるというわけだ。

カラーコード
Hex値：#61c69b
RGB：97, 198, 155
CMYK：60, 0, 52, 0
HSB：154°, 51%, 78%

別名
・フィコシアニン（Phycocyanin）
・シーウィード（Seaweed／海藻）

イメージ
・控えめ
・オーガニック、天然
・エコロジカル

右：伝統的な織り機に取り付けられた染色済みの毛糸「ハリス・ツイード（Harris Tweed）社」スコットランド

アート・デザイン・文化に
見られるアルジェ
・建築《藻のバイオアダプター・
ファサードを取り付けたBIQハ
ウス》アラップ社　Arup
ハンブルグ、ドイツ　2013年
・プロダクトデザイン《容器ごと
食べられる水「Ooho」》
スキッピング・ロックス・ラボ
Skipping Rocks Lab　2013年
・フットウェア《ビボベアフットウ
ルトラⅢ　Vivobarefoot
Ultra Ⅲ》ブルーム　BLOOM
2016年
・海藻ヒドロゲル・タイル《イン
ダス　Indus》バイオ・インテグ
レイテッド・デザイン・ラボ
Bio-Integrated Design Lab
2019年

色の世界の話に戻そう。アルジェ（藻類）は、産業革命以降
に使われてきた環境に優しくない合成色料に代わる天然色料とし
て注目されている。その用途は幅広く、食品からテキスタイルま
でさまざまな対象に環境に負荷をかけずに着色することができる。

ヒント

近代以降に登場した合成染料は安価で色あせしにくいため便
利に使われてきた。しかし時代が変わり、人々の好みも変わり
つつある。日光で色あせた風合いや自然にできた模様は個性と
して親しまれるようになり、地球に優しいという観点でも好ましい。
スピルリナなどの天然成分も、機械で計算された設計図からは
生まれない自然な造形美を生み出す新素材として、その可能性
が大いに期待されている。

ブルー Blue

　青は自然界にあふれる色なのに、人はなかなかその色を自由に表現できる顔料を手に入れられなかった。はるか昔、アフガニスタンの山々で青い半貴石が発見され、採掘されるようになった。そのラピスラズリという鉱物から取れる青い顔料を、古代メソポタミアやエジプトの人々は尊いものとして崇めた。中東では今も青は崇高な色で、不死のイメージとも結びつく。そのため神聖なモスクの円天井には空を模すようにして青い色が使われている。後にヨーロッパの画家たちもラピスラズリを切望するようになり、その粉末顔料はウルトラマリンと名付けられた。海の向こうからきた珍しいものという意味が込められ、青い色に神秘を感じていたようだ。

　これまで、あらゆる分野の芸術家たちがいつも完璧な青色を探し求めてきた。20世紀中頃にはフランスのアーティスト、イヴ・クラインが空の色を追い求めるあまり、ついには自分の手でウルトラマリンをもとに新しい青色を開発した。有名なクライン・ブルーは、ほかの青の顔料には決して出せなかった純粋さと安定性を兼ね備えている。クラインもほかの芸術家たちと同じように、青色には人の心を変容させる力があるかもしれないと考えた。実際、青色には心を落ち着かせたり精神状態を改善させたりする効果があるとの研究結果もある。そのため、青はインテリアデザインにもよく使われる。

　しかし、そんな魅力的な青の顔料は入手困難な時代が長く続いた。希少で高価だったため、金持ちや権力者だけが手に入れられた。画家たちは特に重要なテーマの絵や依頼品を描くときのために青の顔料を取っておいた。18世紀になるとようやく偶然の発見からプルシアン・ブルーという合成顔料が誕生し、広く普及するようになった。また2009年には、やはり偶然の発見により、インミン（YInMn）・ブルーという新しい青の無機顔料が誕生した。インミン・ブルーは人間の眼に見える最も純粋な青色と考えられ、塗布した表面の温度を下げるというユニークな性質も併せ持つ。科学技術の進歩・革新のイメージと結びつくからか、新規参入メディアや技術関連の会社のロゴの色としても人気がある。

英語で「blue-blooded（貴族出身の）」や「blue-collared（作業員、労働者の）」などの言葉があるように、青色には上層階級と下層労働者階級の両方のイメージがある。また、精神と科学の両方の領域を思い起こさせる。青という色からは、海や空のように果てしなくいろいろなイメージを連想するが、いつの時代にもその色の人気は揺るぎなく不動のものだった。古くは人間が狩猟採集の民だった時代から、澄み渡る空や海の青色に心奪われた者たちだけが生き残ることができたのかもしれない。だから、青を追い求める心は現代人にも生まれつき備わっているのだろう。

インディゴ（藍）Indigo

起源と歴史

　美しいインクのような青に、光の加減で緑や紫の気配も漂わせるインディゴ（和名：藍色）。何千年も前から「インディゴフィーラ」という植物の種を原料に引き出されてきた色である。インディゴは世界各地で重要な染料として扱われ、アジアとヨーロッパを結ぶ初期の交易路でも取り交わされた。数年前には、およそ6,200年前のペルーの墓場から、木の梁と梁との間にはさまれていたインディゴの文様染めの布を考古学者が発見した。

　インディゴもウルトラマリン（p.174参照）と同じように、多くの文化圏で富と地位を象徴する色とみなされた。上流階級の人々はインディゴで日常着や特別な衣装、家庭で使用する布を染めたり、儀式に使う道具に装飾したりしていた。インディゴ染め（藍染め）の文化は、西アフリカにある染色場「コファー・マタ・ダイピット（Kofar Mata dye pit）」やインドのインディゴ農場、日本の型染め文化まで、さまざまな土地で見ることができる。17世紀にはアイザック・ニュートンが、「インディゴ」を虹の7色のスペクトルのひとつに指定した。

現在

　現在、7色の虹のなかでインディゴの存在はあまり大きくない*。だが、ブルージーンズはもともとインディゴで染められていて、今でもジーンズといえば藍色を思い浮かべる。労働者が着る服の色のイメージがあるかもしれないが、インディゴの深みのある色合いは高級感のある現代インテリアにも適している。2019年、日本の新世代を代表する藍染師「BUAISOU」は、フィンランドの家具ブランド「アルテック（Artek）」のために日本古来の技を駆使した藍染めの木製スツールを制作した。その伝統的な手法は何千年も前から日本に受け継がれているものだ。

ヒント

　古代から伝わるインディゴの美しさは現代にも通用する。ほかの色を足さず、インディゴの濃淡だけで思い切ったデザインにするとより美しい。濃い色には意識が集中して吸い込まれそうな魅力、淡い色には心をゆったりと落ち着かせるような魅力がある。心地よさを追求するインテリアや生活空間に適している。

カラーコード
Hex値：#0c426a
RGB：12, 66, 106
CMYK：100, 77, 34, 21
HSB：206°, 89%, 42%

イメージ
・沈静、落ち着かせる
・誠実、正直
・知恵、叡智

アート・デザイン・文化に見られるインディゴ
・衣装《バニャング族の呪薬神（バシンジョム）のマスクとガウン Basinjom mask and gown, Banyang of Nigeria and Camerron》ナイジェリア、カメルーン 1973年
・インスタレーション《インドパビリオン「インディゴの国（'State of Indigo'）」》ロンドン・デザイン・ビエンナーレ 2018年
・テキスタイル《語られざる歴史のための交響曲 Symphoney for Untold History》アブバカル・フォファナ 2018年

*訳注：アメリカやイギリスでは虹を6色と数え、インディゴを含まない場合がある。また、ほかの地域でも、虹を5色、4色と少なくとらえる国々もある。

「空気の器」アーティストコラボレーションシリーズ 染師 BUAISOU（ブアイソウ）（トラフ建設設計事務所）日本

ウォード（大青^{たいせい}）Woad

起源と歴史

　ウォードは「ホソバタイセイ(細葉大青／学名 *Isatis tinctoria*)」という植物の葉を原料とする深い青色のこと。じっくり煮て酸化させると味わいのある色が出る。その製造過程にはヒリヒリとした刺激がともない、手や衣服も汚れるが、古代地中海沿岸や中東の文明では大切な作物として栽培されていた。ヨーロッパではこの植物が丘などに自生し、温暖な気候に適して自然に育ったので、インディゴ (p.168 参照)よりも安価に入手できる青の染料として歓迎された。古代ケルトの民はウォードで顔や体に恐ろしげなタトゥーをほどこしていたため、彼らの土地を侵略しようとしたローマ軍の戦士たちは震え上がったという。

　しかし、ウォードの染料をつくるためには、やはり大量のホソバタイセイの葉が必要だった。特に堅牢度の高い安定した染料となると、入手できたのは裕福な人々だけだった。そのため、この色はしだいに貴族階級と結びつけられるようになった。シャルルマーニュ（カール大帝）やルイ11世など、中世フランスの国王たちはよく青地に金刺繍の衣装を着てリッチなオコジョの毛皮をまとった姿でタペストリーに描かれている。17世紀、ブランデンブルク選帝侯フリードリヒ・ヴィルヘルムは、兵士たちに初めて「ブルーのユニフォーム」を選定した。その理由は外国から入ってくる染料に対して自国の染料産業を守ろうとする経済政策的なものだったという。

　18世期になるとヨーロッパの植民地政策が進んだ。北アメリカで新種のインディゴが大量に栽培され、ヨーロッパ向けに輸出されるようになったため、ウォードはしだいに影をひそめていった。だが、イギリスでは少なくとも1930年代になるまで羊毛がウォードで染められていた。警察官の制服にこの色が使われていたことも影響したかもしれない。

カラーコード
Hex値：#20355c
RGB：32, 53, 92
CMYK：97, 84, 37, 29
HSB：219°, 65%, 36%

イメージ
・信頼感
・強さ
・神秘的

アート・デザイン・文化に
見られるウォード
・タペストリー《ユニコーン狩りのタペストリー》フランス／オランダ 1495-1505年
・ファッション《ウォード／グアド・コレクション》ヌーディー・ジーンズ 2012年
・ファッション《2019／2020秋冬 スピリチュアル・グラマー・コレクション》ヴィクター&ロルフ、クラウディ・ヨングストラ 2019-2020年

《死に対する名声の勝利 The Triumph of Fame over Death》
南ネーデルラント 1500-1530年頃

現在

　ウォードなどの天然染料は近年また注目を集めている。デザイン界で流行している「スロー」な取り組みや持続可能な社会への意識の高まりが、天然染料にしか出せないナチュラルで深みのある風合いに光を当てているのだ。ファッションレーベルの「ヴィクター＆ロルフ」は、2019 − 2020 年秋冬コレクションにテキスタイル・アーティストで染色家のクラウディ・ヨングストラを起用、天然のウォードを用いてランダムに染め上げた作品を発表して大成功を収めた。

ヒント

　現代的なウォードの使い方は、ゴールドと鮮やかなレッドを組み合わせたトライアド（3 色配色）がおすすめ。アクセントカラーはポイント程度に用いて伝統的なウォードを引き立てること。ラグジュアリーでありながら環境に配慮したブランドであることを伝えられる。

デザイン界で流行している
「スロー」な取り組みや
持続可能な社会への意識の高まりが、
天然染料にしか出せないナチュラルで
深みのある風合いに光を当てている。

ヴィクター＆ロルフ 2019-2020年秋冬パリコレクション

ウルトラマリン Ultramarine

起源と歴史

　かつて金ほどの値打ちがあったウルトラマリンの顔料は、アフガニスタンの山々で採れる半貴石ラピスラズリを粉末にしたものだった。ラピスラズリの美しい青色を顔料にするには、原石を粉砕して取り出した雲母（うんも）と金属アマルガムを洗浄し、ロウ、樹脂、油を混ぜ合わせた塊をよく練らなければならなかった。この手間のかかる工程がラピスラズリを高価で貴重なものにしていた。

　顔料としてのラピスラズリが登場したのは6世紀とみられ、アフガニスタンのバーミヤン遺跡にある仏教壁画に使われている。また、古代エジプトの『死者の書』には眼の形のラピスラズリを金で装飾したものが描かれている。計り知れないパワーを持つ護符として身につけられていたのだ。ラピスラズリの色は古代エジプト社会で最高位の者たちだけが使うことを許されていた。ツタンカーメン王の棺にもラピスラズリが飾られ、クレオパトラは青い粉末をアイシャドウにしていた。

　ウルトラマリンは13－14世紀にアングロサクソンの装飾写本に使われていた。挿絵に世界の成り立ちなどの重要な要素を描くときにこの色が使用されていたようだ。写本の色づかいから当時のシンボル性が見てとれる。ウルトラマリン・ブルーは創造主や神、バーミリオン（p.66参照）は地球や自然、リード・ホワイト（鉛白　p.246参照）は人間に結びつけられていたようだ。

　同時期のイタリアでは、ウルトラマリンにあまりに法外な値段がつけられていた。そのため、チマブーエ、ドゥッチョ、ジョットなどの画家たちは、ウルトラマリンを特別な宗教絵画を描くときのために取っておいた。なかでも特に重要な主題である聖母マリアを描くために使ったので、マリアン・ブルーとも呼ばれた。ウルトラマリンのうっとりさせるような深い輝きに魅せられたバロック期の画家ヨハネス・フェルメールは、この高額な顔料に大金を注ぎ込み、最終的に破産したといわれる。天然ウルトラマリンの破格な値段は合成色料が発明されるまで続いた。人工のウルトラマリンは1826年にフランスの化学者ジャン・バプティステ・ギメによって製造され、「フレンチ・ウルトラマリン」と呼ばれた。

カラーコード

Hex値：#4166f5
RGB：65, 102, 245
CMYK：77, 63, 0, 0
HSB：228°, 73%, 96%

イメージ

・神性
・卓越
・完璧

《聖母の祈り The Virgin in Prayer》
ジョヴァンニ・バッティスタ・サルヴィ・ダ・サッソフェッラート 1640-50年頃

現在

　合成色素が開発されると、顔料でも染料でもさまざまな風合いの青色が出せるようになった。だが、ウルトラマリンという色はいつでも不動の人気を誇ってきた。20世紀の画家、ワシリー・カンディンスキーとイヴ・クラインもこの青色の完璧さと神聖さに心奪われた芸術家たちだった。クラインは後にウルトラマリンをベースにして、最高峰の青「インターナショナル・クライン・ブルー（IKB）」をみずからつくりだした（p.192参照）。権威のシンボルとしても健在で、イギリスの女王やドイツの首相もよく公の場でロイヤルブルーのサッシュを身につけている。

ヒント

　ウルトラマリンの奥深い豊かさを引き立てるには太陽のようなイエローと組み合わせてみよう。アクセントにバイオレット・ピンクを使うと印象的な3色配色になる。

アート・デザイン・文化に見られるウルトラマリン

・絵画《死せるキリストと聖母 The Dead Christ and the Virgin》ジョットの弟子　ナポリ　1330–40年頃
・彫刻《雄鶏　Hahn／Cock》カタリーナ・フリッチュ　2013年
・書籍『Bluets（青いものたち）』マギー・ネルソン著、カバーデザイン：スザンヌ・ディーン　2017年

《ボートのある秋の風景》ワシリー・カンディンスキー 1908年

プルシアン・ブルー（紺青）

Prussian Blue

起源と歴史

　深く暗い青色のプルシアン・ブルーは青酸（シアン化水素）を使って化学的につくられたものである。顔料としてはドイツ系スウェーデン人の化学者カール・ヴィルヘルム・シェーレが1782年に初めて調合した。その完成作は美しくも変化しやすいものだった。太陽光のもとではミッドナイト・ブルーと呼ぶにふさわしい深い青色に見えるのだが、人工光などで明度が限られた場所では黒く見えてしまうのだった。実際、プルシアン・ブルーの化学組成上、可視光線のうち特定の波長を吸収してしまうため黒っぽく見えるのだ。そのため、この色素はデジタル・ディスプレイには不向きで正確な色が出ない。

　近代に開発された化学合成色料の先駆けであるプルシアン・ブルーは、もしかしたら世界初の「ブランドカラー」に選ばれた色だったかもしれない。18世期に、プロイセン王国の軍隊が歩兵隊の目印になる色としてプルシアン・ブルーを選んだ。その後、染料・インク・油彩にも使われるようになり、耐光性もあったため、ウルトラマリンやエジプシャン・ブルーの活躍の場を奪っていった。

　この新種の青色は世界中に輸出され、日本では葛飾北斎をはじめ天然の藍を使用していた木版画家たちがすぐにプルシアン・ブルーを使うようになった。

現在

　20世紀になる頃、パブロ・ピカソの作風が「青の時代」と呼ばれる時期に突入し、取りつかれたようにこの青色で絵を描くようになった。プルシアン・ブルーの暗く変化しやすい色合いが当時のピカソの心情を表現するのにぴったりだったのだろう。ピカソの「青の時代」も大きく影響したのか、今日、プルシアン・ブルーには思慮深さや知性のイメージが重なり合う。

カラーコード
Hex値：#010042
RGB：1, 0, 66
CMYK：100, 95, 31, 56
HSB：241°, 100%, 26%

別名
・ミッドナイト・ブルー
　（Midnight Blue）

イメージ
・メランコリー、哀愁
・内省的
・信頼感

アート・デザイン・文化に
見られるプルシアン・ブルー
・浮世絵木版画《神奈川沖浪
　裏》葛飾北斎 1830-2年頃
・写真集《イギリスの藻類写真：
　サイアノタイプ・インプレッショ
　ンズ Photographs of British
　Algae: Cyanotype
　Impressions》アンナ・アトキ
　ンス 1843-53年
・絵画《プルシアン・ブルーのス
　ライス・ペインティング Slice
　Painting in Prussian Blue》
　キアン・ドネリー 2004年

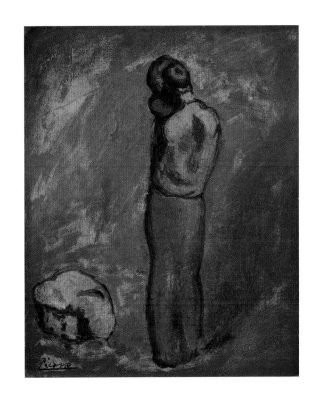

《母子像 Mère et enfant
（Mother and Child）》
パブロ・ピカソ 1902年

ヒント

　光を反射しにくいプルシアン・ブルーは自然に視線を引き寄せ、
さらに注視させようとする。そのため、この色にはある種の強さが
あり、そして哀愁も感じさせる。シリアスな色なのでメンタルヘル
スに関連した用途に向いている。心をなだめるグリーンとの相性
がいい。

スマルト（花紺青^{はなこんじょう}）Smalt

起源と歴史

　スマルトは大地の鉱物から生まれた半透明の青色で、歴史的にも興味深いエピソードに彩られている。古代エジプト人はエジプシャン・ブルーとも呼ばれるセルリアン（p.184 参照）とほぼ同じやり方で、採掘したスマルト鉱に石英（クォーツ）や炭酸カリウムを混ぜて溶解させるなどの実験を繰り返して色料を製造した。溶解して冷ますと濃い青色のガラスのような物質ができ、それを砕いて粉末にしたものがスマルト（和名：花紺青）である。この色料は主にガラス細工や陶磁器に使われた。

　8世紀から9世紀にかけての中国の陶磁器には、自然、暮らし、民話の題材など、さまざまな図案や文様がスマルトで絵付けされた。これが現在でもよく見かける青と白の中国陶磁器の始まりだ。白地に青色で「染付^{そめつけ}」をほどこした陶磁器は17世紀のオランダの貿易船でヨーロッパに運ばれた。それを見たオランダの職人がインスピレーションを受け、有名な青と白のデルフト陶器を生み出した。その後何世紀にもわたり、スマルトのブルーは陶磁器に使われ続けている。薄いナチュラルな青色からコバルトを使った濃密でくっきりとした青色まで、その時々の職人や上流階層の人々の好みにより、さまざまなスタイルの陶磁器が製造された。

現在

　スマルトの色はあせやすい。そのため、19世紀に合成色料のコバルトが発明されると、安定性があり応用もきくコバルトに活躍の場を奪われてしまった（p.182 参照）。だが現在でも、歴史を大切にする芸術家たちがスマルトをアートやデザインに取り入れることがある。2016年、オランダのデザイナー、オリバー・ファン・ヘプト（Olivier van Herpt）は、ハーグ美術館のプロジェクトで3Dプリンターを使ってセラミック作品を制作した。スマルトとコバルトの顔料を混ぜ合わせ、3Dプリンターで成形された粘土素材に色が吹き付けられていく。土から取り出されたはずの顔料が土に吸収されて戻っていくという遊び心のあるアート作品だ。

カラーコード

Hex値：#295ea0
RGB：41, 94, 160
CMYK：90, 67, 8, 1
HSB：213°, 74%, 63%

イメージ

・永遠
・自信
・エレガント

181

アート・デザイン・文化に
見られるスマルト
・陶磁器《デルフト焼きの皿》
　モリアーンスホーフ工場
　Het Moriaanshooft Factory
　オランダ　1679–86 年
・陶磁器《神秘 Arcanum》
　オリバー・ファン・ヘプト
　Olivier Van Herpt　2017 年
・彫刻《対になる記憶の器
　LXIV　A Pair of Memory
　Vessels LXIV》ポーク・ド・
　フリース　Bouke de Vries
　2020 年

ヒント

　釉薬に使われた液状のスマルトにヒントを得て透明感のあるブルーを塗り重ねてみよう。白磁のようなホワイトで柔らかさを加え、濃いミッドナイト・ブルーでアクセントをつけるとエレガントなデザインになる。

《牡丹文様の壺》景徳鎮、
中国　元王朝（1271–1368 年）

コバルト Cobalt

起源と歴史

　コバルトといえば陶磁器や印象派の絵画の華やかな青色を連想するが、実は暗い歴史がある。コバルトが含まれる鉱石にはたいていヒ素も混ざっていた。その鉱石の採掘はあまりにも危険で、原因不明の死者がたびたび出ていたのである。そのため、17世紀ドイツの坑夫たちはこの鉱石を、ドイツの昔話に登場する邪悪な山の精霊にちなんで「コボルト」と呼んでいた。その後、18世紀に薬草の研究していたスウェーデン人の化学者イェオリ・ブラントがコバルトの成分の特定に成功した。そして邪悪な精霊を思わせる呼び名をやめて「コバルト」と命名した。

　1802年にはフランスの化学者ルイ・ジャック・テナールが鉱石のコバルトに酸化アルミニウムを加えて煮出し、安定したコバルトブルーの顔料を製造することに成功した。この顔料には、J.M.W.ターナー、ピエール=オーギュスト・ルノワール、フィンセント・ファン・ゴッホなど、当時の画家たちが飛びついた。テナールが開発したコバルトブルーは天然のスマルト顔料（p.180参照）に代わる人気を博し、同時期に開発されたウルトラマリン（p.174参照）やプルシアン・ブルー（p.178参照）とともに青の新時代を築いた。これらの青色のおかげで、画家たちは深い水の色や澄み渡る空の色など、さまざまなニュアンスの青を描き分けられるようになった。ゴッホは名作《星月夜》（1889年）にこの3色の青をすべて使った。コバルトについては「神から授かったかのような色、これほどまでに美しい空気を描ける色はほかにない」と語っている。*

現在

　コバルトブルーの発光するような青はいつも芸術家たちにインスピレーションを与えてきた。ウィリアム・スコットの1972年の連作《アレクサンダーのための詩　A Poem for Alexander》では、「コバルトの支配」というタイトル通り、この色が支配的に使用されている（右図参照）。ほかのブラウン、ブラック、ホワイト、イエロー、グリーンはほんのわずかに取り入れられた。

カラーコード
Hex値：#536fb0
RGB：83, 111, 176
CMYK：74, 57, 3, 0
HSB：222°, 53%, 69%

イメージ
・別世界、空想
・喜び
・深遠

* Roskill, Mark (ed.), *The Letters of Vincent Van Gogh*, New York: Simon & Schuster, 1997

**アート・デザイン・文化に
見られるコバルト**
・建築 シャウエンの街並み
　モロッコ 1492年–
・グラフィックデザイン《リムノス・
　ワインのパッケージデザイン
　Limnos Wines: Krama
　Limno Merlot》ルミナス・
　デザイン・グループ 2019年
・絵画《連作 ダークニング
　Darkening series》ローナ・
　シンプソン Lorna Simpson
　2019年

ヒント

　鉱山での暗い記憶を捨て、コバルトは現在では明るく鮮やかな夏の屋外を連想させる。そうしたイメージをデザインで表現するには、ナチュラルで明るい印象派の絵画のような色彩と組み合わせるのがいい。カーマイン、バーミリオン、ペールイエロー、リーフグリーンなどと合わせてみよう。

《コバルトの支配『アレクサンダー
のための詩』シリーズより
Cobalt Predominates from
the series A Poem for
Alexander》
ウィリアム・スコット　1972年

セルリアン Cerulean

起源と歴史

　セルリアンの語源はラテン語で「空」や「天国」を意味し、豊かで深い色合いをよく言い当てている。これは古代ローマ人が、エジプトから伝えられた青色につけた色の名前である。古代エジプト人は、銅にケイ土、ライム、アルカリを混合してこの色をつくったといわれ、おそらく世界初の合成顔料として歴史的に重要な意味を持つ。セルリアンは長い間使われていたが、ローマ帝国時代の終わりとともに、その製造方法が忘れられてしまった。

　1805年にはスイスの化学者アルブレヒト・ヘフナー（Albrecht Höpfner）がセルリアンの新しい合成顔料を開発した。当時の芸術家たちはその色を好み、特に19世紀半ばの印象派の画家たちにこよなく愛された。印象派の画家たちはその時代に流行した色彩理論の考えに基づき、光の描写に夢中になった。特にフランスの化学者ミシェル＝ウジェーヌ・シュヴルールが唱えた「色彩の同時対比の法則」に大きく影響され、個々の色そのものよりも、隣り合わせに置かれた色がお互いに作用して全体の見え方が決まるという考えを取り入れた。つまり、パレットで絵の具を混ぜ合わせるのではなく、それぞれの絵の具を純粋な色のままキャンバスに塗り、類似色や反対色を隣りに配置することで混ぜ合わせたような効果を狙った。これは見る側の視覚効果によって色を混合しようとする方法で、クロード・モネの《睡蓮》がその代表例だ。

現在

　モネの絵を近くで見ると、キャンバス全体に派手な色が点々と置かれていることに気づく。だが、遠くから眺めると全体的に自然に見える。これは見る人の眼のなかで色同士が混ざり合い、光と影のように境界線を微妙なニュアンスでぼかしているためだ。近年には、マーク・ロスコやウィレム・デ・クーニングなど「カラー・フィールド・ペインティング」の画家たちが似たアプローチで絵画を描き、色と色との絶妙なバランスと調和を表現しようとしている。

右：《睡蓮 水の研究、朝（細部）Water lilies, water study, morning（detail）》クロード・モネ ジヴェルニーで制作された8点のキャンバスから成るシリーズより 1914–18年頃

アート・デザイン・文化に
見られるセルリアン
・絵画《ソファに座る少女
　Girl on a Divan》
　ベルト・モリゾ　1885年頃
・衣装デザイン「映画『シンデレ
　ラ』より リリー・ジェームズ
　演じる主人公シンデレラの
　舞踏会の衣装」
　ジェーン・ロウ　2015年
・ファッション《2016年春夏
　クチュールコレクション》
　エリーサーブ　2016年

ヒント
　モネの空や睡蓮の池をよく見ると、バイオレットとブルーなどの
類似色が並べられ、補色のイエローが全体的に散りばめられて
いる。こうした表現方法により、いきいきとした生命感が生まれ
ている。モネの作品は色と色との相互関係や、全体の見え方に
さまざまなヒントをくれる。

グラウコス Glaucous

起源と歴史

　緑のような青のような、あいまいな色。古代ギリシャ人はこの2色を見分けることができなかったといわれる。薄い灰色にも見える青緑のアロエの葉のような色を、彼らは「グラウコス（glaukós）」と表現した。後に、この色はシロカモメ（英語：glaucous gull）の翼の色や、緑内障（英語：glaucoma）の見え方にも結びつけられ、その言葉の語源になった。古代の詩人たちはグラウコスのあいまいさを好み、グレイ、グリーン、ブルーのほかに、ブラウンやイエローにも近いと表現した。

　はかなげなグラウコスは何世紀にもわたり愛され続けている。ラテン語では現在の英語のスペル（glaucous）と同じだったが、中世英語では「glauk」と記されている。当時の空想好きな芸術家や詩人たちは古代ギリシャへの憧れと自然界に見られるグラウコス・ブルーからインスピレーションを得て創作活動に活かしていた。

現在

　グラウコスの変化に満ちた色調と見ていて疲れない穏やかさが、この色を使いやすくて便利なものにしている。1950年代にはイタリアのタイプライター・メーカー「オリベッティ」とデンマークの建築家、アルネ・ヤコブセンが先進的なデザインを柔らかく親しみやすい印象にするためにグラウコスを取り入れて成功した。

　自然界にはよく見られる色なのに、特定するには難しい色。あいまいな色ではあるけれど、あらゆる分野のアーティストにとって重要な色だといえる。2018年にはイギリス南西部にある国立近現代美術館「テート・セント・アイヴス」のプロジェクトで、地元コーンウォール出身のアーティスト、ニナ・ロイル（Nina Royle）が《グラウコス　Glaucous》と題したマルチメディア・パフォーマンスを発表した。ロイルはこのパフォーマンスを通じてグラウコス・ブルーが持つ矛盾に満ちた分類しがたい魅力を模索し、表現した。

カラーコード
Hex値：#849bab
RGB：132, 155, 171
CMYK：51, 31, 25, 0
HSB：205°, 23%, 67%

イメージ
・自然／ナチュラル
・あいまい
・瞑想的

**アート・デザイン・文化に
見られるグラウコス**
・インテリアデザイン《ラディソン・
　コレクション・ロイヤルホテル
　コペンハーゲン（旧スカンジナビ
　ア航空（SAS）ホテル）606号室》
　アルネ・ヤコブセン　1950年
・インテリアデザイン《イベントブ
　ライト社オフィス》
　ラプト・スタジオ Rapt Studo、
　サンフランシスコ　2014年
・家具《コズムチェア by Studio
　7.5》ハーマンミラー社　2020年

デュラックス社「カラー・フュー
チャー」色見本より「コースタル・
グレイ（Coastal Grey）」のペイ
ントで塗装した部屋　2021年

ヒント

　自然の観察から生まれたこの色には不思議な魅力がある。こ
の色を見ていると青みと緑みのある海を思い出し、瞑想の世界に
誘われる。穏やかで控えめな色調はたっぷり使っても圧迫感がな
く眼も疲れない。涼しげな海を思わせるブルーに、暖かみのある
補色のテラコッタを合わせると、バランスのよい癒しの空間が完
成する。

ティール Teal

起源と歴史

現代の人気色、ティールは1917年に初めてひとつの色名として認識された。この名前は「ユーラシアン・ティール（和名：コガモ）」という淡水域に生息する鳥の、目の周りの特徴的な青緑色に由来している。ティールのデビューと同年に生まれたメキシコの画家レオノーラ・キャリントンは、シュルレアリスム主義の絵画にティールをたっぷりと使い、ゴールドやブルー、レッドを織り交ぜて宝石のような配色を生み出している。また、色彩の魔術師と呼ばれるアンリ・マティスもティールにオレンジを組み合わせて明るく大胆な対比で眼を楽しませてくれる。

だが、この色が本当にセンセーションを巻き起こしたのは戦後のヨーロッパでのことだった。1946年に「ベスパ（Vespa）」がティール・ブルーのスクーターを発売したところ、目新しいものに飢えていた人々が飛びつきメディアでも盛んに紹介された。2年後の1948年に発行されたインテリアデザイナー向けの色見本帳「プロシャー・カラー・システム（Plochere Color System）」には「ティール・ブルー」も掲載され、1950年代から60年代にかけてのインテリアデザインで多用された。中でもイタリアのデザイナー、ジオ・ポンティによるティール・ブルーの使い方は特にグラマラスだった。モダニズム建築のインテリアにヴィンテージ感のあるシックなピンクと組み合わせ、優雅な袖椅子やつやつやしたチーク材の家具をアクセントに、モダンながらも親しみやすいデザインを打ち出した。

現在

ティールの人気はその後も変わらず続いている。この色には私たちの神経を落ち着かせ、思考をクリアにして集中できるよう助けてくれるはたらきがあると考えられる。そのため、Webサイトの作成に使用するHTML/CSSカラーコードの標準16色にも含まれているし、「Windows95」の背景スクリーンカラーの設定でもティールが選べるようになっている。1998年にAppleが歴史的な初代「iMac」を発売したとき、カラーバリエーションにティールが選ばれていたことも不思議ではない。

カラーコード
Hex値：#367589
RGB：54, 118, 137
CMYK：81, 43, 36, 8
HSB：194°, 61%, 54%

イメージ
・明瞭
・創造力
・ラグジュアリー

アート・デザイン・文化に見られるティール
・絵画《ヴァージニア・ウルフ》
ヴァネッサ・ベル 1912年
・スクーター《ベスパ98》
エンリコ・ピアッジョ 1946年
・プロダクトデザイン《iMac G3 ボンダイブルー》Apple 1998年

オリベッティ社のタイプライター
「Lettera 32」マルチェロ・ニゾー
リによるデザイン 1963年

　革新的な情報テクノロジー分野で愛されているだけではなく、ファッション界でも独自の魅力を放ち続けている。スターたちがレッドカーペットでよくティール・ブルーを着用するのは、1920年代と50－60年代のカリスマ的な人気にあやかっているのかもしれないし、エレガントなゴールドやローズとの相性が良いからかもしれない。

ヒント

　モダンで万能。ティールは心地よく落ち着いたインテリアやプロダクトデザインによくなじむ。また、個性的で大胆なデザインにもしゃれたマジックを発揮する。ジオ・ポンティのレトロで洗練されたデザインを参考にしよう。ティール・ブルーに補色のピンクをミッドトーン（中間的な彩度や明度）で組み合わせ、濃淡のあるニュートラルカラーで全体を整えたい。

プロセス・シアン Process Cyan

起源と歴史

シアン、マゼンタ、イエロー、ブラックの4色は、現代の印刷技術で最も広く使われる「CMYKカラーモデル」の基本色だ。そのため、1900年代には印刷技術の発達とともにシアンの用途も広がった。特に1930年代以降は大衆コミック文化が流行し、カラーイラストを安く正確に印刷できるようになった。

1970年代までには印刷技術がより一層進化し、従来のけばけばしい色だけでなく細かいニュアンスの抑えた色みまで印刷で表現できるようになった。また、同じ頃にイタリア出身のグラフィック・デザイナー、マッシモ・ヴィネッリがニューヨークの地下鉄マップをデザインして話題になった。ヴィネッリのデザインには、近代的な活版印刷の技術にシアンを含むカラーインクのレインボーカラーが見事に合わさり、コンピュータグラフィックを適度に取り入れた情報の見せ方も整理されていてわかりやすかった。しかし、このマップがただちに人々に受け入れられたわけではない。当時の人々は抽象化されすぎたイメージに困惑し、現実の街が想像できないと感じたのだ。そうした意味で、この地下鉄マップはシンプルに簡略化されたデザインが人々の体験を変容させる典型例のひとつになった。

現在

CMYKカラーモデルの基本色として、シアンはいつでもデザインの中に存在する。CMYKの印刷工程ではハーフトーンと呼ばれる技術を使い、理論上は無限の色彩を表現することができる。大きさや位置を変えたシアン、マゼンタ、イエロー、ブラックそれぞれのインクを、小さなドットで塗り重ねていくのだ。減法混色（p.10参照）に基づくため、色を混ぜれば混ぜるほど暗くなる。子どもの頃（大人になっても）パレットでいろいろな色の絵の具を混ぜていくと、最後には暗くにごった色ができてがっかりした経験があるだろう。そのため、あまり混ぜずにシンプルな色同士の配色ほど鮮やかで明るい。デザイナーは、はっきりしたデザインに見せたいときや、印刷工程を説明するためのグラフィックなどでは、シアン、マゼンタ、イエローをそのまま使うことが多い。

カラーコード
Hex値：#00aeef
RGB：0, 174, 239
CMYK：100, 0, 0, 0
HSB：196°, 100%, 94%

別名
・プリンターズ・シアン
　（Printer's Cyan）
・プロセス・ブルー
　（Process Blue）

イメージ
・楽観主義
・簡潔、シンプル
・インスピレーション

**アート・デザイン・文化に
見られるプロセス・シアン**
・シルクスクリーン・プリント
《カラーサウンド》カール・ゲル
ストナー 1973 年
・リトグラフ《「ウィンストン・チャー
チル：荒野の時代」ポスター
デザイン》アイヴァン・チャマイ
エフ 1983 年
・地図《アムステルダム 都市部
の自然散策マップ
Amsterdam Urban Nature
Map》アーバン・グッド／
ネイチャー・デスク 2019 年

ヒント

　複雑で難しい手順をシンプルに説明したいとき、色をうまく取
り入れるとわかりやすい。道案内、図面、操作マニュアルなどに、
シアンをはじめとした原色を使うと目にとまりやすく、ユーザーの
自信にもつながる。

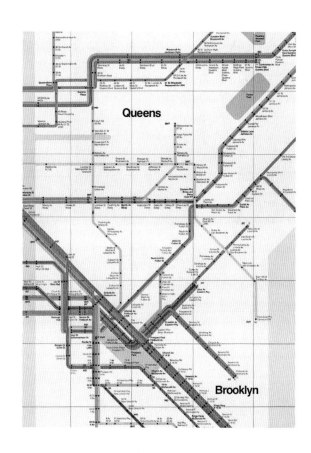

「ニューヨーク地下鉄マップ」
マッシモ・ヴィネッリによる
デザイン 1972 年

インターナショナル・クライン・ブルー
International Klein Blue

起源と歴史

　「青とは見ることのできないものを視覚化した色」とフランスのアーティスト、イヴ・クラインは言った＊。クラインにとって、青は単なる色ではなく無限を体現化したものだった。そして青に執着するあまり、自分で新しい青色の顔料を発明してしまった。

　自分の理想とする完璧な青を手に入れるため、クラインは美術商エドゥアール・アダムの協力を得てウルトラマリンの顔料をもとにピュアで深い青色のパウダー顔料をつくり出した。その完成作は発光するかのような鮮やかさとマットさを持つ青色で、クラインはこれを「インターナショナル・クライン・ブルー（IKB）」と命名して1960年に商標登録した。その後、この深く鮮やかなIKBだけを使って200点近くものモノクロームの絵画を手がけた。また、パフォーマンスアート《人体測定》シリーズでは、IKBの顔料を体に塗った裸体の女性たちがキャンバスに横たわるなどして「人間ブラシ」の役割を果たした。

現在

　青色を最も神聖な色とし、最重要なテーマを描くときにだけ使ったのはクラインが初めてではなかった。ルネサンス期の画家たちや、古くは中東やアフリカのアーティストたちもそうだった。だが、青色を表現の手段としてではなく、表現の主題そのものととらえたのはクラインが初めてだった。彼の斬新なものの見方は現代のアート界にもインスピレーションを与え続け、さまざまなアーティスト、クリエイター、ファッションブランドが作品にIKBを取り入れている。ファッション界の大御所「セリーヌ」は2017年春のコレクションで《人体測定》を連想させるIKBのプリントを使用した。また、デザイナーのジョン・ガリアーノは「メゾンマルジェラ」の2019年春のコレクションでIKBカラーのプードルをモチーフに選んだ。

カラーコード
Hex値：#3b3ff6
RGB：59, 63, 246
CMYK：81, 73, 0, 0
HSB：239°, 76%, 96%

イメージ
・無限の
・遊び心のある
・魅了させる

＊ Weitemeier, Hannah, *Yves Klein*, Cologne: Taschen, 2016

アート・デザイン・文化に
見られるインターナショナル・
クライン・ブルー
・映画『BLUE ブルー』デレク・
　ジャーマン 1993年
・ファッション《2017年春夏プ
　レタポルテ・コレクション》
　セリーヌ 2017年
・ファッション《2019年春夏オー
　トクチュール・コレクション》
　メゾンマルジェラ 2019年

ヒント

　クライン生誕90周年を記念し、2018年には、「イヴ・クライン・アーカイヴス社」がフランスの塗料会社「ルスルス（Ressource）」と提携してIKBの公式塗料を発売した。人目を引く美しい青色はプロダクトデザインやグラフィックデザイン、活字のフォント、ユーザーインターフェースのデザインなどに向いている。IKBが持つインパクトを最大限に活かすには、単色で使うか白をベースにするといい。

《テーブル IKB®》
イヴ・クライン 1961年

青色には
範囲がない。
それは範囲を
超えたもの……
たとえるならば、
海と空。

海と空は
目に見える。
だが、
本当のすがたは
もっと
抽象的なものだ。
——イヴ・クライン

エレクトリック・ブルー
Electric Blue

起源と歴史

19世紀後期にトーマス・エジソンが白熱電球を発明して以来、人々は青色を「電気のような（エレクトリックな）」と表現するようになった。青色はよく科学技術の進歩と関連づけられる。デヴィッド・ボウイの1977年の楽曲「サウンド・アンド・ヴィジョン」には、未来のインテリアデザインについてこんな歌詞が登場する。「ブルー、ブルー、エレクトリックなブルー／ぼくの部屋を満たす色／これからぼくはそこに住む」

現在

エレクトリック・ブルーは最先端の未来を表す色だ。『マイノリティ・リポート』（2002年）、『トロン』（1982年）、『ウォーリー』（2008年）などのSF映画でも未来のテクノロジーを描写するときにこの色が使われている。映画以外のあらゆる産業においても、技術革新を約束する場面ではいつもエネルギーを発信するイメージのブルーが使われる。第5世代移動通信システム「5G」のコネクタビリティ（接続性）を宣伝するキャンペーンや、2020年のフォードの電気自動車キャンペーン「ゴー・エレクトリック」でもエレクトリック・ブルーがメインカラーに使われた。フォルクスワーゲン、メルセデスベンツ、ヴァージンなど、ほかの多くのブランドもさまざまな宣伝広告キャンペーンで発光するようなブルーを基調色にしている。

だが、もしエレクトリック・ブルーが未来の色ならば用心しなければならない。ハーバード大学医学部の最近の研究によると、スマートフォンなどの電子機器から発せられるブルーライトには睡眠ホルモンと呼ばれるメラトニンの分泌を抑制させるはたらきがあり、睡眠障害やそれにともなう健康障害を引き起こす恐れがあるのだ。

ヒント

エレクトリック・ブルーは注意を引きたい重要なポイントに控えめに使うといい。ブランドのキャンペーンやUI/UXアプリに向いている。強い色なので背景にはネイビーなどの落ち着いた色を選びたい。選択ボタンなどユーザーが操作する部分に取り入れるとわかりやすい。フォントやグラフィックには暖かみのあるバイオレットを選ぶとバランスがいい。

カラーコード
Hex値：#0091ff
RGB：0, 145, 255
CMYK：73, 40, 0, 0
HSB：206°, 100%, 100%

イメージ
・接続性
・テクノロジー
・スピード

アート・デザイン・文化に見られるエレクトリック・ブルー
・照明インスタレーション《276.（青色で）276 (On Color Blue)》ジョセフ・コスース 1990年
・車《ID.Rエレクトリック・レーシングカー》フォルクスワーゲン 2018年

《ヴィジョン AVTR コンセプトカー》メルセデスベンツ 2020年

インミン・ブルー YInMn Blue

起源と歴史

2009年にオレゴン州立大学のマス・サブラマニアン教授が偶然発見した新しい青「インミン（YInMn）・ブルー」には、まだ知られざる可能性がたっぷり詰まっている。偶然の発見の裏には研究所でのアクシデントがあった。教授のチームが「イットリウム（Y）」「インジウム（In）」「マンガン（Mn）」の3つの元素を混ぜ合わせて実験をおこなっていたところ、蒸発皿の中で加熱しすぎてしまい一瞬のうちに溶解した。すると、そこに目も覚めるようなブルーが現れたのだという。新しい青色の発見は1802年のコバルト以来、実に200年ぶりのことだった。

現在

この新しい顔料の最大の特徴は、ほかの色と混ぜてもにごらないという点だ。時間が経っても色あせず、油や水と混ぜればかなりの安定性がある。また、赤外線の反射率が非常に高いという性質もある。インミン・ブルーの結晶構造は赤と緑の光の波長をほぼ完全に吸収し、青の光の波長だけを反射する。そのため、人間の目に見える「最も純粋な青」だといえるのだ。2015年には商用で生産できるようライセンス契約が結ばれた。この色にはさまざまな分野での可能性が期待される。たとえば、温度を下げる効果が実証されているので、電子機器や車、飛行機の塗装にも活用できそうだ。

ヒント

光輝くようなインミン・ブルーは、パステル調のグリーンやバイオレットと組み合わせると涼しげな印象になる。鮮やかなレッドと並べて視覚対比を明確にすれば道案内や誘導などに向いている。

カラーコード
Hex値：#00289b
RGB：0, 40, 155
CMYK：100, 94, 4, 2
HSB：225°, 100%, 61%

イメージ
・冷却
・未来的
・バランス

インミン・ブルーの顔料（Kremer Pigmente社）

ピンク＆パープル Pink & Purple

　赤みがかってもいるし、青みがかってもいる。自然界に純粋なバイオレット（青紫色）はなかなか見つからない。可視光線の中でもバイオレットの波長は人間の目でとらえるのが最も難しい。そのためか、この色にはどこかミステリアスでとらえどころのない印象がある。一方で、ピンクにはさまざまな個性があり、流動的で定義することが難しい。優しく穏やかなピンクもあれば、ショッキングで反抗的、パワフルなピンクもある。ピンクもパープルも原色を混ぜ合わせた色なので、その色調からは無数の表情、イメージ、ムードが連想される。

　これまでの歴史上、ピンクはいろいろな役柄を演じてきた。ときには男らしく、ときには女らしく。官能的だと思われることもあれば、味気ないと思われることもあった。シックでもあり、ぜいたくな色でもあった。17世紀の中国ではピンクは「外来色」を意味し、自分たちの色のひとつに数えられていなかった。その後、欧米文化の影響を受けてようやく色としての市民権を得ることができた。一方で、古代エジプトでは現在のようなピンク色やそのイメージが存在しなかったにもかかわらず、おそらく石灰石を使って布にほのかなローズ色をつけていた。

　欧米社会ではピンクがフェミニズムと結びつけられたが、そうした風潮は20世紀初頭になって初めて生まれたものだった。19世紀にピンクとブルーのパステルカラーが発明されると、男性らしさを象徴する赤に対してピンクは少年のような色と考えられた。より繊細なブルーはどちらかというと少女たちのイメージと結びついた。1950年代になると戦後アメリカの消費社会が勢いを増し、企業のブランド戦略によりピンクが女性らしさを表すシンボルとなった。しかし、1970年－80年代のカウンターカルチャーの流行、その後のミレニアルピンクの流行を見るにつけ、色というものがいかに時代背景や世代による受け止め方の違いに影響されるのかが興味深い。つまりコンテクスト（文脈）によって使われ方が変わるということをケーススタディとして見ておきたい。

　パープルの歴史は進化の歴史でもある。古代ローマのユリウス・カエサルは、クレオパトラの影響を受けてパープルを皇帝の色に

定めた。その伝統が受け継がれ、後世には王族・皇族だけが着用を許されるロイヤルカラーとなった。実際のところ、およそ1万2,000匹の巻貝から取れるティリアン・パープルの色素はほんの1.4グラム、それで染めることができるのは布地のほんの一端だったというから、紫色の色料は一般市民が入手できるような金額ではなかった。王族以外の使用を規制するのは難しくなかったはずだ。

　現在でも世界各地でパープルは王族や特権階級、名声、高級感などと結びつく。同時に、神秘的で神聖なイメージも感じさせる。それはおそらく、アーユルヴェーダや仏教のタントラ瞑想で頭頂部にある第7のチャクラ「サハスラーラチャクラ」が霊的な高い次元の自己とつながる場所、精神世界の最高の状態につながる場所とされ、色では紫色に関連づけられることにも由来するのだろう。西洋では紫色は超自然的なものと結びつけられた。現在、私たちは「動くパープル」という驚異を目撃している。紫の色素を持つバクテリアを使った染色方法が、今後のテキスタイル産業を持続可能なものにしてくれる可能性がある。

ピンク＆パープルの章：

ティリアン・パープル（貝紫色＊）
Tyrian Purple

起源と歴史

　ティリアン・パープルと呼ばれる豊かな紫色の染料はアッキガイ科の巻貝に由来し、厳密に言えばその貝の肛門近くにある悪臭のする分泌腺を乾燥させて茹でたものが原料だ。伝説によればこの巻貝を最初に見つけたのはギリシャ神話に登場する英雄ヘラクレスの愛犬だった。古代フェニキアのティルス（現レバノンのティール）の浜辺で犬が巻貝を見つけてかみ砕いてしまい、その口の中が紫色に染まった。それを見たヘラクレスはこの貝が染料として使えることに気づいたという。ヘラクレスの愛人のニンフ（妖精）は紫色に染めた衣服が欲しいとねだった。このことをフォイニクス王に伝えると、王はこの色をフェニキアの支配者だけが身につけられる王族の色に定めたという。

　古代ローマでは「聖なる紫（*sacer murex*）」と呼ばれ、非常に高価で用途も限られていた。皇族の許可なく身につけた者は厳しく罰せられたという。ローマの安寧を司るとされる巫女「ウェスタの処女（The Vestal Virgins）」たちは、神聖性のシンボルとして紫色の線模様が入った頭飾りを身につけていた。そして彼女たちの神聖性を汚す行為は犯罪とみなされた。古代ローマ人たちは紫色が持つ純粋さと特権性に取りつかれていて、「紫にキスをする（*adoratio purpurae*）」と言えば皇帝の足元にひざまづき、紫色のガウンの裾にキスをして敬意を表す行為を意味した。

カラーコード
Hex値：#472a4c
RGB：71, 42, 76
CMYK：72, 87, 42, 39
HSB：291°, 45%, 30%

イメージ
・気品、気高さ
・独占
・権威、パワー

アート・デザイン・文化に
見られるティリアン・パープル
・フットウェア《ニューバランスX　　コンセプツ　Concepts 990v2　「ティリアン」》2016年
・セットデザイン《ミュウミュウの　ファッションショーのためにつくら　れた空間「ザ・ソフト・エンフィ　レイドゥ（The Soft Enfilade）」》　AMO　2017年
・パフォーマンスアート　《マイアミのための紫色の詩　Purple Poem for Miami》　ジュディ・シカゴ　2019年

＊訳注：和名では貝紫、または古代紫とも呼ばれる

《「ユスティニアヌス 1 世と廷臣たち」サン・ヴィターレ聖堂のモザイク画より》
ラヴェンナ、イタリア　547 年頃

現在

1850年代後半にイギリスの化学者ウィリアム・パーキンが初めて紫色（モーブ mauve）の顔料を発明した。その原料はコールタールで、産業革命の時代には簡単に入手できるものだった。その後、ヴィクトリア女王やフランス皇帝ナポレオン3世の皇后ウジェニーが華麗なモーブのドレスを着用して話題になった。目新しい色は庶民の間でも流行し、一大「モーブ・ブーム」が巻き起こった。

パーキンの発明で手の届きやすい色になったものの、紫色の名声や威信がすたれることはなかった。20世紀初頭にイギリスで大規模な「婦人参政権運動」が起きたとき、市民は紫と緑と白を組み合わせたシンボルカラーを着用し「女性のために投票せよ（Vote for Women）」とスローガンを掲げてデモをおこなった。こうしたフェニミズムを含む急進的な思想を後押しするために紫色の力を借りたのだ。現代では「ディオール」や「イヴ・サンローラン」などの高級ブランドが紫をイメージしたフレグランスを発売し「プワゾン（意味：毒）」「オピウム（意味：アヘン）」などの官能的で危険な響きの名前をつけている。

ヒント

特別感のあるパープルと鮮やかなエメラルド・グリーンの組み合わせはパワフルでモダンな印象を与える。信頼できるメッセージを発信し人々の注目を集めるのに役立つ配色。

手の届きやすい色になったものの、
紫色の名声や威信がすたれることはなかった。
市民は紫色を着用し、
急進的な思想を後押しするために
この色の力を借りたのだ。

「パリ・ファッション・ウィーク」で開催された「ミュウミュウ 2017-2018年秋冬ウィメンズウェア・コレクション」のショー会場
AMOによるインテリアデザイン

マゼンタ Magenta

起源と歴史

　ウィリアム・パーキンが紫色（モーブ）の発明で成功を収めて以来、ヨーロッパの科学者たちがこぞって新色の発明に乗り出した結果、50以上もの新しい染料が誕生した。フランスの化学者フランソワ＝エマヌエル・ヴェルグイン（Francois-Emmanuel Verguin）は1858年から翌年にかけてアニリンと塩化スズから赤紫色の染料を製造することに成功した。この染料はフクシアという赤紫色の花にちなんで「フクシン fuchsine（またはフクシア、フューシャ fuchsia）」と命名された。

　また同時期に、イギリスの化学者ジョージ・モール（George Maule）とチェンバース・ニコルソン（Chambers Nicolson）もほぼ同じ染料を発明し「ロージン（roseine）」と名付けた。その後、染料業者たちがフクシンとロージンを統一し、「マゼンタの戦い」で勝利を収めたばかりのフランス・サルディニア連合軍を記念して「マゼンタ」と改名した。マゼンタはイタリアの地名で、その町を戦場に第二次イタリア統一戦争の重要な激戦が繰り広げられた。

　マゼンタの風変わりな魅力はヴィクトリア朝時代のファッショニスタたちに絶賛された。当時の女性たちはドレス、ペチコート、帽子、ストッキング、靴、手袋、パラソル、扇、ジュエリーなど、あらゆるものにマゼンタを取り入れた。しかし、この魅力的なマゼンタにも初期の化学合成色料につきものの恐ろしい秘密が隠されていた。開発された当時のマゼンタで染められたテキスタイルから、ヒ素の名残が検出されたのだ。その後、毒性の少ない製造方法に切り替えられると、ワインやシロップから調合薬品、壁紙まで、さまざまなものに応用されて消費社会に出回るようになった。

カラーコード
Hex値：#ec008c
RGB：236, 0, 140
CMYK：0, 100, 0, 0
HSB：324°, 100%, 93%

別名
・フクシン（Fuchsine）
・フクシャ／フューシャ（Fuchsia）

イメージ
・革新的
・自信に満ちた
・きらびやかな

アート・デザイン・文化に
見られるマゼンタ
・絵画《コリウールの屋根 *Les Toits de Collioure*》アンリ・マティス 1905年
・インテリアデザイン《トリノ王立歌劇場のロビー》カルロ・モリーノ 1965-73年
・インテリアデザイン《「ザ・アメリカン・レストラン」（カンザスシティ）The American Restaurant》ウォーレン・プラットナー 1974年

《コヴェント・ガーデンの王立歌劇場でクリノリンを着た女性たち（ロンドン）
Ladies Wearing Crinolines at the Royal Opera House》T.H. ゲリン　1859 年

現在

価格の安い染料の生産高が増えると、派手で鮮やかなマゼンタが市場にあふれるようになった。アメリカ人アーティスト、ジェフ・クーンズは《聖なるハート》（1994－2007年）、《バルーン・ドッグ》（1994－2000年）、《バルーン・ラビット》（1994－2000年）などのオブジェ作品にマゼンタを使っている。ちょっとしたお祝いのときに贈り合うプレゼントのぬくもりやロマンチックな気持ちを表現している。

今日、マゼンタはCMYK印刷の基本色として重要な役割を果たしている。色相環では赤と青の間に収まり、緑の対向位置にある。マゼンタは気が利いていてスタイリッシュな色としてさまざまシーンで活躍している。

ヒント

落ち着きのある濃いベリー（鮮やかな赤紫系の色）、ゴールド、オートミール（くすんだ黄色）と組み合わせるとラグジュアリーな配色になる。このようなバランスのよい配色にするとマゼンタの親しみやすさが前面に出る。パッケージデザインやブランディングに最適。

マゼンタの風変わりな魅力は
ヴィクトリア朝時代の
ファッショニスタたちに絶賛された。
当時の女性たちはドレス、ペチコート、
帽子、ストッキング、靴、手袋、パラソル、
扇、ジュエリーなど、
あらゆるものにマゼンタを取り入れた。

《バルーン・ラビット マゼンタ》ジェフ・クーンズ 2005-10年

バイオレット（青紫／すみれ色）Violet

起源と歴史

　バイオレットがほかのパープル（紫系の色）と違うのは純度である。パープルが赤と青を混ぜた色なのに対して、バイオレットははじめからその色として光のスペクトルに存在する。自然界ではめったに見かけない色であるが、2万5000年前のネアンデルタール人はマンガンという鉱物を砕いたときに奥深い輝きを放つバイオレットを発見していた*。マンガンは現在でもアリゾナ州に暮らすネイティブ・アメリカンのホピ族が儀式の道具を色付けするために使っている。

　1856年にモーブが発明されて以来、さまざまなバリエーションの紫色が人気を集めた。そのため、バイオレットの合成色素が調合されるのも時間の問題だった。1859年には非常に鮮やかだが毒性のあるコバルト・バイオレットが、1968年には合成マンガンのバイオレットが開発された。こうした新色の発明は芸術家たちの創造力をかきたて、特に印象派の画家たちが「バイオレットマニア」と呼ばれるほどにバイオレットを愛用した。「オンプレネール（en plein air）」つまり「戸外制作」で光と影の描写を探求した印象派の画家たちにとって、補色（反対色）のペアは大変重要な意味を持っていた。太陽の光をイエローで表現するなら、その補色にあたるのは黒ではなくバイオレットだった。

現在

　バイオレットの波長は可視光線のなかで最短で、人間の眼にはやや見分けにくい。そのため、バイオレットの色が確かに存在していても、黒く見えてしまう場合がある。このとらえにくい性質が神秘的でスピリチュアルなイメージに結びつくのかもしれない。アーユルヴェーダの伝統では、頭頂部にある第7のチャクラ「サハスラーラチャクラ」は霊的な高い次元の自己とつながる場所とされ、色ではバイオレットと関連づけられる。歌手のプリンスは独自の音楽性やスタイルをミステリアスなバイオレットでブランド化し「パープル・レイン」という楽曲でも紫色を印象づけた。毎年パントン社が発表する「カラー・オブ・ザ・イヤー」の2018

カラーコード
Hex値：#6f6cb7
RGB：111, 108, 183
CMYK：63, 62, 0, 0
HSB：242°, 41%, 72%

イメージ
・崇高、高い精神性
・本能、直感
・風変わり、エキセントリック

*訳注：ネアンデルタール人が生存していた時期、暮らしや習性、絶滅時期には諸説あり正確な根拠を示すことができない。フランスのペッシュ・ド・ラゼ洞窟（Pech de l' Azel）からネアンデルタール人の痕跡と思われる二酸化マンガンが発見されており、着火や装飾に使用していた可能性が検証されている。

Heyes, P., Anastasakis, K., de Jong, W. et al. Selection and Use of Manganese Dioxide by Neanderthals. Sci.Rep 6, 22159 (2016).

**アート・デザイン・文化に
見られるバイオレット**
・デザイン「Pantone 18-3838
ウルトラバイオレット（Ultra
Violet）」パントン・カラー・
オブ・ザ・イヤー　2018年
・ホームウェア《ル・クルーゼ
「ウルトラバイオレット」コレク
ション》2019年
・高速輸送ステム「ペガサス
XP-2」ヴァージン・ハイパー
ループ社、ビッグ＆キロ社
Virgin Hyperloop with BIG
and Kilo　2020年

年には「ウルトラバイオレット Ultra Violet 18-3838」が選ばれ
た。過剰な情報やスピードばかりが求められる飽和状態の社会
には瞑想に誘うような謎めいた色が必要だから、という理由から
だった。

ヒント

　珍しい色は「普通ではない」とも言い換えられ、バイオレット
に奇抜な印象を抱く人もいる。自信を持って単色（モノクローム）
で使った方が鑑賞者やユーザーからの信頼を得られる。

《数学ギャラリー（ザ・ウィントン・ギャラリー）：
ロンドン科学博物館》ザハ・ハディド　2016年

私はついに
空気の本当の色を
見つけた。

それはすみれ色だ。
新鮮な空気は、
すみれ色をしている。
——モネ

ヘリオトロープ Heliotrope

起源と歴史

　ハッと人を振り向かせるようなピュアな魅力があるヘリオトロープは1882年にひとつの色として認識された。色名は同じヘリオトロープという紫色の花に由来している。ブルーベリーに代表されるような、青や紫、赤みのある植物の花弁や茎、根、葉などには、アントシアニンという天然色素が含まれている。私たちは現在、そのアントシアニンに抗酸化物質が豊富に含まれることも知っている。だがそんな成分を知らなかった昔の人たちも、赤や紫の植物を昔から薬に使っていた。たとえばインドのタミル・ナードゥ州にあるカーンチープラム県では何世紀にもわたり、土着の治療師がそうした植物の根や葉を皮膚病や毒抜きに使用してきた。

現在

　ヘリオトロープの花の色を人工的に再現できる色料は近年まで開発されなかった。だが、2000年代に「インミン・ブルー」（p.198参照）が発明されると、その顔料を基にヘリオトロープを含むパープルの無機染料の開発にもつながった。

　最近ではデザイナーでアーティストのアダム・ナサニエル・ファーマンが、陽気で小粋な印象のヘリオトロープをインテリアデザインに取り入れている。ファッションでは「ニナリッチ」が2020－21年コレクションにモダンで大胆なアクセントカラーとしてヘリオトロープを抜擢した。

ヒント

　ヘリオトロープに補色のサニー・マリーゴールドを組み合わせよう。花に由来する色同士の個性が際立ち、はっきりしたコントラストが楽しげな雰囲気を生み出す。

カラーコード
Hex値：#9a7ccf
RGB：154, 124, 207
CMYK：43, 55, 0, 0
HSB：262°, 40%, 81%

イメージ
・優美、洗練
・癒し、ヒーリング
・個人主義

アート・デザイン・文化に見られるヘリオトロープ
・絵画《ジフ Ziff》フランク・ボウリング　1974年
・書籍『カラーパープル』アリス・ウォーカー　1982年
・彫刻《子ブタの指輪入れ Piggy Ring Box》ワン＆ソダーストロム Wang & Söderström　2018年

「ニナリッチ 2020-21年秋冬ウィメンズ・ウェア・コレクション」パリ・ファッション・ウィークにて

ローズ Rose

起源と歴史

　ピンクのなかでも完璧なピンク、ばら色のローズは古代から称賛されてきた。古代ギリシャの詩人ホメロスは叙事詩『オデュッセイア』のなかで夜明けの光を指して「ばら色の指をした曙の女神」と20回以上も言及している。朝日が昇る瞬間の光景に沸き上がる感動と畏敬の念。優しい太陽の光が、これから始まる新しい1日への希望と、過去のばら色に染められた日々の記憶を思い起こさせてくれる。

　歴史を振り返ると、このローズという色は「男らしさ」と「女らしさ」、「過剰」と「無垢」という両極のイメージの間を行ったり来たりしていた。ラファエロはローズに甘やかで優しい性質を見出して聖母マリアと幼子キリストの和やかで神聖なひとときを描き出した。一方で、ローズが男らしさや力強さの象徴に使われることもあった。1400年頃の装飾写本《Nova Statuta（新法令集）》には、ローズピンクのチュニックを着てポーズを決めるヘンリー5世が描かれていた。ピンクに女性らしさが紐づけられるきっかけは、18世紀ヨーロッパの上流社会にあった。フランス国王ルイ15世の愛人、ポンパドゥール夫人のお気に入りの色がローズピンクだったのだ。1757年にはフランスの老舗陶磁器会社「セーブル（Sèvres）」がピンク色のコレクションに「ローズ・ポンパドゥール」というブランド名をつけて夫人に敬意を表した。

　20世紀アメリカでは再びローズピンクに「男らしさ」のイメージがつき（今度はスポーツの分野で）、富裕層やぜいたくの象徴にもなった。F・スコット・フィッツジェラルドの小説『グレート・ギャツビー』（1925年）を原案にした2013年公開の映画『華麗なるギャツビー』では、楽天的な主人公ギャツビーを演じるレオナルド・ディカプリオがおしゃれなローズピンクのスリーピースを着こなした。上流社会に属するギャツビーのステイタスを強調するとともに、自信たっぷりな言動の印象をソフトに和らげる効果もあった。

現在

　現代社会におけるローズピンクの役割は、緊張感のある時間やメッセージを必要に応じてソフトに和らげ、ほんの一瞬でも楽観的な気分にさせてくれることだ。2020年、新型コロナウィルス感染症（Covid-19）

カラーコード
Hex値：#d0747c
RGB：208, 116, 124
CMYK：16, 66, 40, 0
HSB：355°, 44%, 82%

別名
・ローザ・ピンク（Rosa Pink）
・ロココ・ローズ（Rococo Rose）

イメージ
・優しさ
・愛らしさ
・特権

右：《象の装飾燭台付きの花瓶
Elephant Candelabrum Vase
（Vase à Tête d'Eléphant）》
セーブル　Sèvres　1757-8年頃

次ページ：《「COMMUNITY
IS KINDNESS.（思いやりこそ
がコミュニティ）」ビルボード・
キャンペーン》デザイン：ビルド
ハリウッド・ファミリー
（BUILDHOLLYWOOD
Family）ジャック、ジャック・
アーツ（Jack, Jack Arts）、
ディアボリカル（Diabolical）
ロンドン　2020年

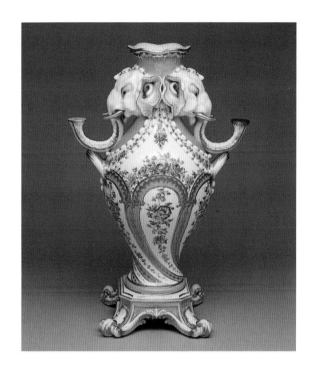

によるパンデミック下のロンドンで、ローズピンクを主役にした《CO
MMUNITY IS KINDNESS（思いやりこそがコミュニティ）》という
広告掲示板キャンペーンがおこなわれた。これは「ビルドハリウッド
（BUILDHOLLYWOOD）」というストリートアートや広告を仕掛け
るクリエイティブ集団のメンバー「ジャック、ジャック・アーツ（JACK,
JACK ARTS）」と「ディアボリカル（DIABOLICAL）」が手がけた
もので、ロンドン市民のエンパシー（共感）を得て大成功を収めた。

ヒント

　ばらの花びらのようにナチュラルなローズピンクに深く濃いパープ
ルを組み合わせよう。今の時代に合った配色で、デジタルコミュ
ニケーションによるつながりが深く浸透していくイメージ。

現代社会における
ローズピンクの役割は、
緊張感のある時間や
メッセージを必要に応じて
ソフトに和らげ、
ほんの一瞬でも楽観的な
気分にさせてくれることだ。

ショッキング・ピンク
Shocking Pink

起源と歴史

1937年、ファッションデザイナーのエルザ・スキャパレリが「ショッキング・ピンク」の生みの親となり堂々とその名前を宣言した。第二次世界大戦中、控えめな色のファッションが一般的だった当時、彼女が使用した大胆で鮮やかな色彩は大変目立った。なかでもピンクは、世界中で勃発していた紛争への恐怖、喪失感、欠乏感から眼をそらし、ファッションという領域でだけは戦争から少しでも心の距離を置ける拠り所となった。

それから数十年間、ショッキング・ピンクの人気は一時衰えていた。戦後の1950年代にはパステルカラーが流行していたし、60年代にはフェミニスト運動との結びつきが影響した。当時まだそうした運動が市民権を得ていなかったアメリカ社会で敬遠されたのだ。しかし70年代になるとロンドンでパンク・カルチャー時代が始まり、再びショッキング・ピンクが脚光を浴び始めた。ファッションデザイナーのヴィヴィアン・ウエストウッドがパンクロックバンド「セックスピストルズ」のマネージャー、マルコム・マクラーレンとともにキングスロードに開業した有名なブティックには、縦4フィート（約1.2メートル）のピンクのゴム素材でできた「SEX」の文字が掲げられ、店名もそう変更された。

この瞬間から、ショッキング・ピンクは反体制文化（カウンターカルチャー）や政治的活動のシンボルとなった。アメリカのパンクロックバンド「ラモーンズ」や「ザ・クラッシュ」がこの色をイメージカラーにし、ファッションデザイナーのザンドラ・ローズは自分の髪をホットピンクに染めた。一方で、1987年にはエイズ（AIDS）患者の社会的差別との闘いと病気への理解を広げるために《「沈黙＝死」プロジェクト》というポスターキャンペーンが展開された。そのシンボルマークがショッキング・ピンクの三角形で、エイズと闘う人々への連帯感を示す重要なビジュアルとなった。

カラーコード

Hex値：#b51366
RGB：181, 19, 102
CMYK：25, 100, 36, 3
HSB：329°, 90%, 71%

イメージ

・エンパワーメント
　（権利を授ける）
・情熱
・エネルギー

アート・デザイン・文化に見られるショッキング・ピンク

・リトグラフ・プリント《「沈黙＝死」プロジェクト 'Silence = Death' project》アブラム・フィンケルスタイン（Avram Finkelstein）、ブライアン・ホワード（Brian Howard）、オリヴァー・ジョンストン（Oliver Johnston）、チャールズ・クレロフ（Charles Kreloff）、クリス・リオーネ（Chris Lione）、ホルヘ・ソカラス（Jorge Socarras）1987年
・スクリーンプリント《「女性はメトロポリタン美術館に入るために裸にならなければいけないのか」Do Women Have To Be Naked To Get Into the Met. Museum》ゲリラ・ガールズ 1989年
・ファッション　メットガラ（Met Gala）でブランドン・マックスウェルの衣装を着たレディー・ガガ 2019年

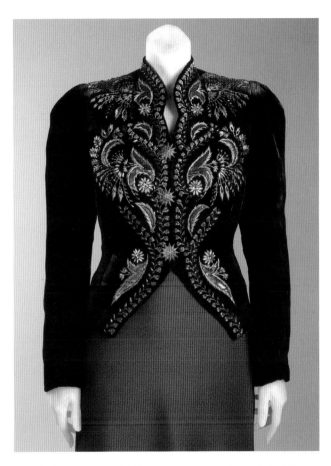

《イブニング・ジャケット冬用（シルク、ベルベット、シルク＆メタリックの糸と
スパンコールによる刺繍》エルザ・スキャパレリ 1937-8 年

現在

　現在もショッキング・ピンクは社会的・政治的改革を目指す行動（アクティビズム）と密接に結びついている。女性たちがアメリカのドナルド・トランプ（元）大統領の就任に抗議するために起こした大規模なデモ「ウィメンズ・マーチ（Women' s March）」では、ピンクのニット帽をかぶった女性たちが、まるで「ピンクの海」のように通りを埋め尽くした。また、インドの女性たちを暴力や差別から守る女性たちによる自警団「グラビ・ギャング（Gulabi Gang）」のシンボルカラーもピンクである。さらには、環境保護や種の絶滅を食い止めることを目指す国際的な市民運動団体「エクスティンクション・レベリオン」のキャンペーンカラーにもショッキング・ピンクが選ばれている。

ヒント

　ショッキング・ピンクのパワーを活かすには、同じくらいパンチのある色と組み合わせてコントラストを明確にすると効果的。オンラインやオフラインでのブランド戦略、強いメッセージの訴求に向いている。

私はピンクに身を捧げる。
あの赤という色のライバル。
ネオンのようなピンク、至高のピンク。
——エルザ・スキャパレリ

国際的な市民運動団体「エクスティンクション・レベリオン」のポスター
アムステルダム、オランダ 2020年

ベイカー・ミラー・ピンク

Baker-Miller Pink

起源と歴史

　ほんの一瞬目にした色のおかげで気分ががらりと変わったり、ユーザー体験を改善できたりすることがある。1970年代後半、ワシントン州のタコマにある「アメリカ生物社会学研究所（American Institute for Biosocial Research）」でライフサイエンス分野の責任者だったアレキサンダー・シャウス（Alexander Schauss）は、色に対する心理学的・生理学的な反応の研究をしていた。シアトルにある海軍所有の刑務所で囚人たちを対象に調査をおこなったところ、特定のトーンのピンクを見せたときに囚人たちの言動が落ち着くという結果が出た。そこでシャウスは純色の白に半光沢性の赤を混合して、みずからそのピンク色を調色した。そして、独房内の壁や手すりに色を塗り、囚人たちが完全にピンク色の空間で過ごせるように協力してくれた2人の刑務所長、ジーン・ベイカー（Gene Baker）とロン・ミラー（Ron Miller）に敬意を表して「ベイカー・ミラー・ピンク」と命名した。当時の調査結果によると、それまで喧嘩（けんか）や暴力が絶えなかった刑務所内で、156日間にわたり一度も暴力沙汰が起きなかったという。

現在

　このベイカー・ミラー・ピンクの実験について、その後何十年間にもわたり実効性に疑いがかけられてきた。しかし、この物語はデザイナーたちにインスピレーションを与えて次のステージへと進んでいく。インテリア・ブランドの「ノーマン・コペンハーゲン」は店舗の内装にベイカー・ミラー・ピンクを取り入れ、顧客を引きつけることに成功している。お店に入ってきたお客さんは以前よりも長く店内にとどまり、くつろぎながら商品の購入を検討するようになったという。ヴォレバック社（Vollebak）の「ベイカー・ミラー・ピンク・フーディー」はアスリート用に特化して作られたパーカーで、大事な試合の前に精神状態を落ち着かせる目的でデザインされている。フードをかぶってジッパーを閉めれば完全にピンク色の世界に入り込み、この色の作用で心拍数が適正値に下がりリラックスできるのだ。

カラーコード
Hex値：#e68d8d
RGB：230, 141, 141
CMYK：7, 54, 34, 0
HSB：0°, 39%, 90%

イメージ
・リラックス感
・心落ち着く
・安心させる

アート・デザイン・文化に見られるベイカー・ミラー・ピンク
・インテリアデザイン《「ノーマン・コペンハーゲン」フラッグシップ・ストア Normann Copenhagen》ハンス・ホーンマン＆ブリット・ボネンセン、コペンハーゲン、デンマーク 2016年
・インテリアデザイン《「ミュージアム・オブ・アイスクリーム」（ニューヨーク）》マリーエリス・バン、マニッシュ・ヴォラ 2016年

「リラクゼーション・フーディー ベイカー・ミラー・ピンク」ヴォレバック社 Vollebak 2016年

ヒント

　ほのかな色合いのニュートラルカラーとベイカー・ミラー・ピンクを心地よく感じるバランスで配色してみよう。ターコイズなど、ほかの鎮静効果がある色でも試してみるのもおすすめ。

ネオンピンク Neon Pink

起源と歴史

　ネオンという言葉は蛍光色の明るい色に広く当てはまり、モダンさ、革新的イメージ、ときには崇高さすらも感じさせる。1960年代から70年代にかけて、アメリカのミニマリズム・アーティスト、ダン・フレイヴィンはこれまでに誰も見たことがないようなアート作品を生み出した。蛍光灯の照明管とカラージェルを使って光と色によるシンプルで幾何学的なインスタレーションのシリーズを制作したのだ。同じ頃、別のアメリカ人アーティスト、ジェームズ・タレルは「光と空間」で構成される実験的な体験型アートに取り組み始めた。その中には、深みのあるピンク色の光をじんわりと拡散させながらも濃密でくっきりと色素を感じさせる印象的な作品もあった。こうした空間に入った鑑賞者たちからは「心が動かされた」という感想がよく聞かれる。

　1960年代のピンクとオレンジのサイケデリックな渦巻き模様から、90年代のアシッドハウス音楽の流行まで、過去50年間、ネオンカラーはさまざまな反体制文化に取り入れられてきた。1980年に発行されたカルチャー雑誌『i-D（アイディー）』の初号は、ホットピンクを特色指定して鮮やかに印刷した紙面を創始者のテリー＆トリシア・ジョーンズがみずからホッチキスでとめたものだった。

現在

　新しいミレニアムに入ってからは、過去数十年間の音楽や映画、ビデオゲームを振り返るノスタルジックな嗜好も見られる。ネオンピンクはシンセサイザーを使った電子音楽や、テレビなどで映像が乱れたときのグリッチ画面を連想させる。そうしたレトロ感のある表現の再流行により、蛍光色を使ったグラフィックやアパレル、ブランディングが再び使われ始めている。

ヒント

　ネオンカラーのインパクトの強さには用心しよう。現代的なグラフィックデザインにするには、タイポグラフィー（文字）にだけ取り入れるか黒か白をベースにするとネオンピンクの存在感を少しマイルドにすることができる。

カラーコード
Hex値：#f600ca
RGB：246, 0, 202
CMYK：17, 87, 0, 0
HSB：311°, 100%, 96%

イメージ
・サイケデリック
・陽気な
・革新的

アート・デザイン・文化に見られるネオンピンク
・写真《無題／夜の往来（ピンクと赤の交通流に白のきらめき）Untitled/ Night-Time Traffic（Pink and Red Traffic Stream with White Sparks）》モホリ＝ナジ・ラースロー 1937-46年頃
・照明インスタレーション《エンド・アラウンド：全体野 End Around: Ganzfeld》ジェームズ・タレル 2006年
・ファッション《2019年春夏プレタポルテ・コレクション》ハウスオブホランド 2019年

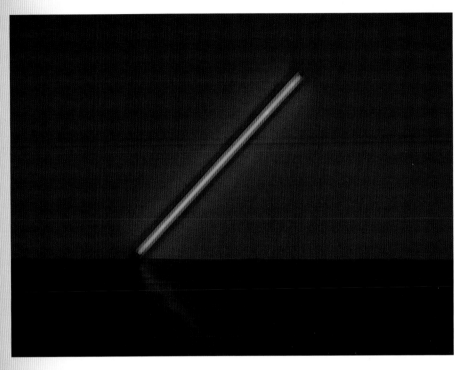

《1963年5月25日の斜め線　The Diagonal of May 25th》
ダン・フレイヴィン　Dan Flavin　1963年

ピンキッシュ Pinkish

起源と歴史

　バウハウスと言えばまず思い浮かぶのは、原色とむき出しのコンクリートの建物だ。だが、実は暖かみのあるアースカラーのローズもバウハウスの配色によく使われている。こうした「ピンクっぽい（ピンキッシュ）」色は写真や壁紙のデザイン、ポスターなどにも多用されている。

　このモダンなピンクは、バウハウスのアーティストやデザイナーにならって、ニュートラルな基調色として室内の配色に取り入れると良い。近年復元されたワシリー・カンディンスキーの家のリビングルームは、壁がマスタード・イエローとピンキッシュ・ローズで塗られていたことがわかった。その上から細部にまで質感や配置にこだわったゴールドの葉の装飾がほどこされていた。ヴァルター・グロピウスが設計した郊外住宅「トーテン・ハウジング・エステート（Törten Housing Estate）」の玄関と廊下は淡いピンキッシュな色でまとめられ、地域の人たちを暖かく迎え入れる雰囲気づくりに役立っている。パウル・クレーの《三軒の家（Three Houses）》（1922年）ではピンキッシュが構図の距離感や奥行きをうまく引き立てている。アニ＆ジョセフ・アルバース夫妻もピンキッシュの親しみやすさを好んで壁紙やテキスタイルによく取り入れた。

現在

　この色がバウハウスでよく使用されたにもかかわらず見落とされがちなのは色の分類が難しかったせいかもしれない。「ピンクっぽい」色は、おそらく使うたびにアーティストが手配合していて、具体的にどの色と指定することが困難だった。とはいえ、ピンキッシュと表現できる色は現代のライフスタイルとも密接に結びついている。バウハウスの影響は現代のデザイナーや建築家たちにもさざ波のように広がり、ピンク味を帯びた色が新たなベースカラーとして建築や商業インテリアの定番となっている。

ヒント

　インテリアの基調色をぬくもりのあるピンキッシュにしてみよう。補色のボタニカル・グリーンをブロック的に取り入れたり、鮮やかで濃いレッドやオレンジを差し色にしたりするとモダンな印象になる。

カラーコード
Hex値：#ceafb2
RGB：206, 175, 178
CMYK：19, 31, 21, 0
HSB：354°, 15%, 81%

イメージ
・インテリジェント
・心安らぐ
・親近感

アート・デザイン・文化に見られるピンキッシュ
・絵画《三軒の家 Three Houses》パウル・クレー 1922年
・家具／テキスタイル《バウハウスへのトリビュート A Tribute to Bauhaus》サリット・シャニ・ヘイ Sarit Shani Hay 2019年
・建築《「ザ・ウェブスター（The Webster）」フラッグシップ・ストア》アジャイ・アソシエイツ Adjaye Associates LA、アメリカ 2020年

バウハウス デッサウ校舎 マスターハウス No.3の内装

ミレニアルピンク Millennial Pink

起源と歴史

　「ミレニアルピンク」というとらえどころのない色の名前は2017年に3万2000回以上もインターネットで言及された。その圧倒的な存在感により、先見の目があるライフスタイル・ブランド、ソーシャルメディア、Y世代*の消費者たちが飛びつき、一躍脚光を浴びることになった。このあいまいな色合いはローズゴールドとくすんだピンクの間のどこかと定義できるだろうか。ネーミングも争奪戦になり、SNSのハッシュタグ・チャレンジでは「タンブラー・ピンク（Tumblr pink）」や「スカンジナビアン・ピンク」という色名でも登場した。

　この色が最初に注目されたのはおそらく、写真家ユルゲン・テラーが1998年に撮影したモデルのケイト・モスの写真である。初めは鮮やかなピンク色に染められていた髪が少し色あせ、根元がサーモン色になった髪を枕に広げたケイト・モスの写真が話題を集めた。また、イギリスのファッションデザイナー、ポール・スミスが2005年にロサンゼルス店をオープンした時、その外観をパンチの効いたパステルピンクにした。当時から強い個性を主張していたものの、本当の意味で新世代のランドマークとなったのは、2010年代にピンクの壁がインスタグラムで盛んに投稿されるようになってからだ。ポール・スミスの2014年春のメンズウェア・コレクションはピンク一色に染められた。また同じ年、インテリアデザイナーのインディア・マダヴィ（India Mahdavi）が内装のリノベーションを手がけたロンドンのレストラン「ギャラリー・アット・スケッチ（Gallery at Sketch）」は、美しいローズクォーツのようなピンクのディスプレイが喝采を浴び、世界一インスタ映えするレストランとまで言われた。

　それ以来、ミレニアルピンクはデザイン史に名を刻む色となった。「ナイキ」「アクネ」「セリーヌ」「ジョナサンサンダース」など有名ブランドがこぞって起用し、たとえはかない流行だとしても商業的に大成功を収めた。

カラーコード
Hex値：#efc7c5
RGB：239, 199, 197
CMYK：4, 29, 19, 0
HSB：3°, 18%, 94%

別名
・タンブラー・ピンク
　（Tumblr Pink）
・スカンジナビアン・ピンク
　（Scandinavian Pink）
・ローズクォーツ／ローズゴールド
　（Rose Quartz）

イメージ
・若さ
・挑戦
・憧れ

*訳注：Y世代／ジェネレーションYとは1981年頃から1990年代後半までに生まれた世代を指す。2000年以降に成人を迎えた世代＝ミレニアル世代とも重なる。

右：フェンティ×プーマ
バイ リアーナ 2017年春夏

アート・デザイン・文化に
見られるミレニアルピンク
・プロダクトデザイン「iPhone 6S
 ローズゴールドデザイン」Apple
 2015年
・デザイン「Pantone 13-1520
 ローズクォーツ（Rose Quartz）」
 パントン・カラー・オブ・ザ・
 イヤー　2016年
・インテリアデザイン《「ペギーポー
 ション（Peggy Porschen）」ロン
 ドン フラッグシップ・ストア》キ
 ナースリー・ケント・デザイン
 （Kinnersley Kent Design）
 イギリス 2019年

現在

　ミレニアルピンクの台頭は、これまでピンクに付きまとっていたジェンダーのイメージをくつがえす分岐点となった。そのため、現在では商業利用される機会も格段に増えた。

ヒント

　より洗練された新しいミレニアルピンクの使い方は濃淡の変化をつけたモノクローム（単色配色）がおすすめ。これまでのピンクの常識を打ち破り、もっと幅広いシーンで応用できるモダンな色である。

ペールピンク Pale Pink

起源と歴史

　ミレニアルピンクの大流行が一段落すると、後に残ったのはもう少し控えめで配慮に富んだ淡いペールピンクだった。ここ数十年間の行き過ぎた大量消費社会に背を向けつつある私たちは、もっと意味のあるインクルーシブな世界を求めている。そこには、色の選び方も含まれているのだ。

　2017年の夏、ロンドンのキングスクロスというエリアに2棟の格子状のビルが完成した。この新オフィスビルは大規模な都市再生計画の一部で、同地域にはほかにもたくさんの高級ビルが建設されている。だが、この2棟が特に目立つのは外観がローズピンクとペールピンクに塗られているからだ。この色は近隣にある「セントパンクラス・ルネッサンス・ホテル」の伝統的な煉瓦造りの壁を模したもので、トーンの違うピンクがまるで互いに語り合っているかのように見える。2棟は連結しているがそれぞれに個性があり、都市景観をより豊かなものにしている。

現在

　建築や都市計画にペールピンクを用いるのは利便性からだけでなく本能的な選択であるとも言える。その好例が2019年にスイスのロマンスホルンに完成した中学校の校舎にも見られる。「バク・ゴードン建築事務所（Bak Gordon Arquitectos）」と「ベルンハルト・マウラー建築事務所（Architekturburo Bernhard Maurer GmbH）」がデザインしたその校舎は、厳格になりがちな学校建築の外観に淡いピンク色のコンクリートを取り入れて少し濃いピンク色の雨戸をつけ、ベージュのタイルで優しい印象に仕上げることで光を反射させるとともに、学習環境にふさわしい涼しげで明るい雰囲気をもたらしている。

　色の選択を賢くすれば、建築物はもっとスマートでサステナブルになる。たとえそれが大都市の混雑した環境にある建物だとしても、利用者が使う中心的なエリアに明るい色を選ぶと自然光をうまく活用でき、視覚的にもオープンで居心地の良い空間になる。

ヒント

　心地よいペールピンクに反対色のグリーンやスカイブルーをサポート的に取り入れ、穏やかながらもダイナミックな色彩の対話を表現しよう。

カラーコード

Hex値：#efded4
RGB：239, 222, 203
CMYK：5, 12, 13, 0
HSB：22°, 11%, 94%

別名

・モダンピンク（Modern Pink）
・ネオ＝パステルピンク
　（Neo-Pastel Pink）

イメージ

・穏やかな
・感じのよい
・つながる

アート・デザイン・文化に見られるペールピンク

・絵画《無題 Untitled》
　アグネス・マーティン　1963年
・インテリアデザイン《「COS＋スナキテクチャ（Snarkitecture）」ポップアップストア》LA　2015年

R7ビル ダガン・モリス・アーキテクツ（Duggan Morris Architects）イギリス 2017年

オーベルジーヌ Aubergine

起源と歴史

オーベルジーヌと呼ばれるパープルブラウンが初めて色として分類されたのは1915年のことだった。20世紀前半は戦後の質素な生活と実用主義が重視され、産業界において使用できる色は標準化されて限られていた。特にペンキや工業塗料はヘンリー・フォードが特定の色だけを推奨し、その影響力が大きかった。このことはチャールズ＆レイ・イームズら当時のデザイナーたちにとって不満の種だった。ハーマンミラー社向けの新しい家具をデザインするとき、レイは標準色の樹脂コーティングからはインスピレーションを得ることができなかった。その代わりに日本のナスの色からヒントを得て、色合いを微調整しながら光沢のあるオーベルジーヌの塗料をつくり出した。この色が1968年に発売されたイームズのシェーズロング（長椅子）の脚や、初期のラウンジチェアの革張り部分に使われると、たちまちヒットしてオーベルジーヌという色の知名度が格段に上がった。

現在

今日オーベルジーヌはシンプルな黒の代わりになる洗練された色として使われることが多い。デザイナーのロナン＆エルワン・ブルレック兄弟（Ronan & Erwan Bouroullec）は、ヴィトラ社の「ベジタルチェア（Vegetal chair）」などの家具にこの深みのあるオーベルジーヌを取り入れ、工業的な樹脂製品にぬくもりを加えた。この色を使うことにより、さまざまなインテリア環境や手持ちの家具のラインナップと調和させやすくなり、製品がより親しみやすく身近なものになった。

ヒント

リッチで暗めのオーベルジーヌに暖かなゴールドをアクセントに加えるとバランスが取れる。あるいはブラックと合わせると全体的に居心地が良く調和の取れたインテリアになる。

カラーコード

Hex値：#503c47
RGB：80, 60, 71
CMYK：61, 68, 47, 49
HSB：327°, 25%, 31%

別名

・Eggplant（エッグプラント）*

イメージ

・独特の
・洗練された
・近づきやすい

アート・デザイン・文化に見られるオーベルジーヌ

・家具《ハーマンミラー 670 ラウンジチェア》チャールズ＆レイ・イームズ 1958年
・家具《ヴィトラ ベジタルチェア》ロナン＆エルワン・ブルレック 2009年

*訳注：オーベルジーヌはフランス語、エッグプラントは英語でそれぞれ野菜のナスを意味する。

「レーンタイル」バーバー＆オズガビー　ムティナ社
（Lane tiles by Barber & Osgerby for Mutina）2018年

ビートルート[*] Beetroot

起源と歴史

　この根菜を調理したことがある人なら誰でも色素が服についたときに落とすのがどれだけ難しいかご存知だろう。実際、ビートルートの汁は少なくとも16世紀から野菜染料として使われてきた。ヴィクトリア朝時代のイギリスではあらゆる食品がビートルートで着色され、カラーリンスとして髪に使用したり、化粧品としてリップやチークにも使われたりした。ビートルートのピンク色はベタラインという混合色素に由来する。1856年までは、ほぼすべてのテキスタイルが天然色料で染められていたが、化学合成染料の発明とともに鮮やかな色彩が流行し、ビートルートのような天然色は徐々に忘れられてしまった。

現在

　健康や環境への意識が高まるとともに、人工染料の有毒性や非生分解性への懸念が指摘されるようになり、近年再び天然色素が見直されている。生物由来のバイオ染料を使った商品はリサイクル方法が簡単で、結果的により長く使われるようになる。私たちが日頃よく食べるアボカド、玉ねぎ、オレンジなど、多くの野菜や果物の皮には貴重な色素が含まれている。普通、こうした皮は生ゴミとして捨てられ埋立地で腐っていくだけだ。だが、デザインテクノロジストのニコル・スターンスワード（Nicole Stjernswärd）が設立した素材開発のスタートアップ「カイク・リビング・カラー（Kaiku Living Color）」では、食品廃棄物を高い資源価値のある顔料に変えてアートやデザインに活かそうと試みている。

ヒント

　ビーツの泥のついた根っこ、食べられる赤紫の部分、優しい緑の葉など、植物のさまざまな部位から採れる天然の色だけを使って配色してみよう。

カラーコード
Hex値：#d31448
RGB：214, 20, 72
CMYK：10, 99, 59, 2
HSB：344°, 90%, 83%

イメージ
・鮮やか
・土壌の、土の
・ナチュラル、自然

アート・デザイン・文化に見られるビートルート
・ファッション《ダイド・バイ・ネイチャー（自然染め）Dyed by Nature》ジースターロウ（G-Star Row）×アークロマ（Archroma）2019年
・ミクストメディア・ペインティング《中二階の窓から From a Mezzanine Window》ジェーン・バスティン Jane Bustin 2019年

*訳注：ビートルートは「ビーツ（テーブルビートともいう）」という植物の根を指す。

「カイク（Kaiku）」の装置で抽出したビートルートの染料

リビング・ライラック Living Lilac

起源と歴史

　バラバラに配置した微小なバイオレットのドットが布などの表面に不思議な柄を染めていく。この複雑な模様は人間の手によるものではなくバクテリアの成長により生まれるものだ。微生物による染色は色彩の世界に新たな可能性を示している。バクテリアによって生み出された「生きているライラック色（リビング・ライラック）」はバイオ研究所「フェイバー・フューチャーズ（Faber Futures）」により2018年に「フォーブス・ピグメント・コレクション（Forbes Pigment Collection）*」に追加された。それも染料や顔料としてだけでなく、バクテリア染色の方法も併せて登録保存されたのだ。

　バイオデザインの先駆者で生物科学研究所「フェイバー・フューチャーズ」の創始者ナサイ・オードリー・キエザ（Natsai Audrey Chieza）は、過去7年間にわたりバクテリアが持つ染色能力を研究してきた。彼女は「S. セリカラー（S. Coelicolor）」というバクテリアが持つ分子（アクチノロージン）が青紫系の色を生み出す重要なカギを握っていると考えた。この土壌に棲む微生物がタンパク繊維と反応すると有機的で生分解可能な色素がつくり出される。この仕組みを利用すれば、化学薬品をまったく使わずに従来の染色工程における水の使用量を大幅に削減してテキスタイルの染色ができるのだ。バクテリアが生み出す自然な色は日に当たると美しくあせていく。これこそが「ゼロ・ウェイスト（zero-waste ／ゴミをゼロにする）」のコンセプトに基づいて行動する現代の消費者やブランドが目指すべき新しい美学なのだ。

カラーコード
Hex値：#9e9af7
RGB：158, 154, 247
CMYK：39, 39, 0, 0
HSB：243°, 38%, 97%

別名
・リビング・リビダム
　（Living Lividum）

イメージ
・革新的
・サステナブル
・インテリジェント

アート・デザイン・文化に見られるリビング・ライラック
・テキスタイル《リビング・カラー・プロジェクト》ローラ・ルヒトマン＆イルファ・シーベンハー　Laura Luchtman & Ilfa Siebenhaar 2017年
・染料《テキスタイル用のバイオ染料》カラリフィクス社 Colorifix 2018年

*訳注：フォーブス・ピグメント・コレクション　アメリカの「ハーバード大学美術館（Harvard Art Museums）」内にある世界規模の顔料・染料コレクション

「ストレプトマイセス・セリカラー（*Streptomyces Coelicolor*）」というバクテリアのコロニー（集合体）

現在

バクテリア染色という驚異の発見は色彩の世界に大きな技術革新をもたらし、テキスタイル産業を廃棄物ゼロの道へと方向転換させる可能性を示している。2020 年には、バイオデザインチーム「リビング・カラー・コレクティブ（Living Colour Collective）」が「J. リビダム（*J.lividum*）」というバクテリアが持つ深い青紫色の色素、ヴィオラセイン（violacein）にさまざまなpH レベル、温度、さらには音などの外的要因を加える実験をおこなった。その結果生まれる自然な色を使ってスポーツウェアブランド大手の「PUMA（プーマ）」とコラボレーションを組み、商品化することに成功した。この試みにより生まれた「Design To Fade（デザイン・トゥー・フェイド）」コレクションは地球環境への負荷を最小限に抑えつつ、これまでのスポーツウェアになかった新しい概念の色を打ち出している。

こうした色彩分野の科学的研究が進めば、素材や環境の違いに反応して異なる配色デザインを生み出すような仕組みもつくれるかもしれない。

ヒント

生物由来のオーガニックな色彩にヒントを得て、青紫色のトーンに現代的なコーラルを組み合わせてみよう。先進性と知性を感じさせる配色になる。

バクテリア染色という驚異の発見は
色彩の世界に大きな技術革新をもたらし、
テキスタイル産業を廃棄物ゼロの道へと
方向転換させる可能性を示している。

「Design To Fade（デザイン・トゥー・フェイド）」コレクション
PUMA（プーマ）×リビング・カラー・コレクティブ（Living Colour Collective）2020 年

ホワイト＆ペール
White & Pale

　まばたきをすると見逃してしまいそうな控えめな色。けれども、その微妙な色合いを見極める目を養えば、ホワイトはどうやらそんな色ではないとわかるだろう。ひとたびその色合いの違いに意識を向ければ、そこにはほかの色彩と同じように深みと二元性があるのに気づく。ペールカラーの色調の違いを私たちの目が捉えられるのは、色と光との親和性のおかげだ。白ければ白いほど、より多くの光が反射されて目に入る。

　どんな色も文脈や文化によって感情に及ぼす影響はまちまちだが、ほかの系統の色に比べてそうしたニュアンスを見て取りやすいのが、このペールトーンのグループだ。手のひらに乗せた一点のくもりもないペールトーンの小石は特別で純粋で汚れのないものに感じられるが、同じ色を部屋全体に使ったなら、寒色の印象が強くなり、厳格であまりに潔癖な印象を与えてしまう。

　白亜や焼いた骨といった最古の天然白色顔料は伝統的な雰囲気を醸し出す。日本語でホワイトを表す「白」という文字は「空白」のように空虚を表す合成語として用いられる。一方で中国ではその意味は変動的で、死や悲しみを意味すると同時に、再生を意味することもある。空白のページ、白紙の状態、ペールトーンの卵の殻の中にある新しい生命など、ホワイトとは満たされるべき空虚さでもある。

　このようなさまざまな色合いがある一方で、究極の「真っ白（ブリリアント・ホワイト）」も存在する。そのチタンホワイトという顔料が手に入るようになったのは、20世紀初頭になってからのことだ。それが今や、どこにでも見かけるようになった。目立つように表示された道路標識から、清潔感が大切な台所・医療用品まで、まぶしいほどのホワイトが当たり前のように使われ、「安心・安全」のシグナルとして受け止められている。

1950年代後期に萌芽が見られる芸術運動「ミニマリズム」では、無彩色が新たな極みに達して何もない白い空間を理想とした。何もない空間にある光を知覚し体験して鑑賞するのだ。それ以来、「ミニマリズム」はアートやデザインの基本概念のひとつになった。現在、GoogleやFacebookといったハイテクブランドは、タイポグラフィや背景にホワイトを多用している。Appleはブランドの核となるカラーパレットとして、濃淡のあるホワイトと輝くメタルカラーを使用し、ほかに気をそらすものを最小限に抑えて製品に本質的でモダンな印象を与えている。

　近年、真珠などの自然素材に発生するイリデッセンス*という現象を探求しているデザイナーや科学者たちがいる。イリデッセンスの発生する素材の見せる素晴らしい色は、顔料ではなく素材の構造と光との相互作用が生みだしており、色そのものについての新しい考え方をも生み出すものだ。

*訳注：光の干渉により虹色に輝いて見える現象のこと

ホワイト&ペールの章：

チョーク・ホワイト（白亜）
Chalk White

起源と歴史

　数百万年前、地球の地形がいま私たちが知る大陸の形へと変化しつつあった頃、豊かな海ではプランクトンに含まれていた微細な物質が大量に堆積し、それが後に炭酸カルシウム、つまりチョークになった。イギリスの海岸線に見られる有名なホワイトクリフ（白い崖）は、それが化石化したものだ。

　簡単に砕けて粉状になる白いチョークは、鉱物そのものが画材として使われる。初期の洞窟壁画では、赤土（レッドオーカー）で描いたバイソンの絵画に陰影をつけるために使われていた。古代イングランドでは「チョーキング」と呼ばれる儀式がおこなわれ、地域の人々や「チョーカー」と呼ばれる人がチョークを砕いてペースト状にしたものを使って丘の斜面に人や馬の姿などを描いていた。そのイングランド最古の芸術作品には、オックスフォードシャー州の「アフィントンの白馬」などが含まれる。また、チョークは何千年も前から、淡い色を混ぜ合わせるための混ぜ物や絵画の補助剤としても使われており、現在でも芸術家の間では人気のある画材のひとつだ。

現在

　身体、黒板、アスファルトなどにチョークで何かをペイントすると、即席のコミュニケーションツールになる。エチオピアのカロ族は、恋のチャンスを高めたり、ライバルを追いやったりするために、顔や体にチョークでペイントする伝統がある。装飾という行為は一体感をもたらし、アイデンティティや通過儀礼の手段となる。

ヒント

　チョーク・ホワイトは彩度のバランスをうまく調整できる。ホットピンクやイエローオーカーに合わせると、自信に満ちたビジュアル・アイデンティティが表現できる。

カラーコード
Hex値：#f5ede4
RGB：245, 237, 228
CMYK：0, 3, 7, 4
HSB：32°, 7%, 96%

別名
・イングリッシュ・ホワイティング（English Whiting）
・クレタ（Creta）

イメージ
・感触の良い
・静寂
・表情豊かな

アート・デザイン・文化に見られるチョーク・ホワイト
・地上絵《アフィントンの白馬》イギリス　青銅器時代後期
・絵画《チョークの小道　Chalk Paths》エリック・ラヴィリオス　1935年
・写真集『不規則　The Erratics』ダレン・ハーベイ・リーガン　2017年

《チョークでペイントをしたカロ族の若者 エチオピア、オモ川》
キャロル・ベックウィズ＆アンジェラ・フィッシャー　2013年

リード・ホワイト（鉛白）Lead White

起源と歴史

フレーク・ホワイトとも呼ばれる鉛白は有毒で危険な物質だったが、19世紀に安全な合成顔料が誕生するまで、白色顔料の主流として使われ続けた。

最古の記録によると、鉛白の使用は4世紀にアナトリア半島で始まったとされる。アナトリアの人々は土器に鉛と酢を一杯に入れ、粘度の高い動物の糞で封をした。そして有害な発酵蒸気でフレーク状の炭酸鉛の層ができると、それを削って粉にして売っていた。ティツィアーノ、フェルメール、レンブラントといった画家たちは、この鉛からできた顔料を使って、優雅な衣装のひだや陶器の水差し、肌の色などに透明感を出した。エリザベス朝のイングランドでは、鉛白は肌の欠点を隠す化粧品として使われた。ただ、急速に体内に吸収された鉛は、身体と神経に障害を引き起こす。顔の色を白く塗れば塗るほど、その影響は大きくなった。

現在

この有毒な顔料は1970年代に使用が禁止されるまで、家庭用塗料、ホーロー製品、化粧品などに用いられていた。化粧品には今でも美白を求める名残があるが、幸い現在のコンシーラーに毒性はない。だが、鉛白を塗ることで追い求めた「完璧な白さ」は実現しがたく、命取りにすらなった歴史を覚えておきたい。

ヒント

同系の不透明なホワイトと合わせて一風変わった配色を楽しみたい。もともとの鉛白の顔料には微妙な暖色系の風合いがある。色みを抑えたマスタードイエローとの組み合わせで、リッチでありながら重量感のあるデュオトーン（2色配色）のパレットができる。ラグジュアリーなブランディングに最適。

カラーコード
Hex値：#f2f9e7
RGB：242, 249, 231
CMYK：3, 0, 7, 2
HSB：83°, 7%, 98%

別名
・フレーク・ホワイト
　（Flake White）
・コスメティック・ホワイト
　（Cosmetic White）
・クレムニッツ・ホワイト
　（Cremnitz White）

イメージ
・純粋
・隠匿
・地味

アート・デザイン・文化に
見られるリード・ホワイト
・絵画《婦人の肖像（ラ・スキアヴォーナ）Portrait of a Lady（'La Schiavona'）》ティツィアーノ 1510-12年頃
・絵画《ルーシー Lucy》マルレーネ・デュマス 2004年

《窓辺で手紙を読む女》ヨハネス・フェルメール 1663-4年

プラスター Plaster

起源と歴史

　プラスターとは、ピンクみを帯びた暖かく柔らかな白色が特徴的な塗料、「漆喰」のこと。古くから石灰や石膏、水、灰、さらには髪の毛などを混ぜてつくられ、初期の文明では草葺きの小屋を守るために使われた。古代の象形文字は滑らかな石膏の表面に描かれることが多かった。またローマ人はプラスターを注いで固めることで何千ものギリシャの彫像の複製を製造した。さらに、ポンペイ遺跡の「ヴェッティの家」の壁画のように、富裕層の住居の壁に塗られたプラスターに直接絵を描くフレスコ画を発展させた。

現在

　南国のインテリアによく見られる漆喰を塗りっぱなしにした壁や、それが自然に風化したようなイメージのデザインは人気がある。淡い色をした漆喰の壁は、その手触りや周囲の色彩など、特定の場所の感覚までもを無意識のうちに呼び覚ます。また、最近の建築やインテリア分野では建材の持ち味をそのまま楽しみたいというニーズもあり、漆喰の人気はますます高まっている。

　漆喰（プラスター）という素材の魅力が再発見されている背景には、環境問題への意識の高まりがある。化学物質を含むベース塗料は有害であることがわかり、天然の石灰を原料とする塗料やライムウォッシュが広く使われるようになっている。

ヒント

　プラスターの繊細な色合いは古い歴史を持ちながらも、現代的な魅力を醸し出す。深みのあるブラウンや濃いキャラメルカラーなどと組み合わせて、落ち着きのあるナチュラルなインテリアを演出しよう。

カラーコード
Hex値：#dbcabf
RGB：219, 202, 191
CMYK：16, 21, 24, 1
HSB：23°, 13%, 86%

別名
・ライムウォッシュ（Limewash）
・ライムホワイト（Lime White）

イメージ
・保護する
・誠実
・ありのまま

アート・デザイン・文化に見られるプラスター
・絵画《システムをもつ女 Woman Holding a Sistrum》エジプト 紀元前1250-1200年
・フレスコ《ポンペイ遺跡「ヴェッティの家」の壁画より「ペンテウスの死 The Death of Pentheus」》イタリア 62年
・彫刻《Model III》レイチェル・ホワイトリード 2006年

*訳注：ライムウォッシュ　天然顔料が混ざった石灰ベースの塗料

《アフロディテとエロスの彫られたプラスターのエンブレーマ
Plaster emblema with Aphrodite and Eros》地中海 1-2世紀頃

ボーン Bone

起源と歴史

　古代の人々は、動物の骨を穴の中で焼いて最古の顔料をつくったと言われる。粒子の粗い白っぽい素材で、石灰化しているために柔らかく、暖かみのある色をしていた。画材としては、もっと残酷さを感じない白色顔料が入手できるようになるとすぐに使われなくなったが、骨（ボーン）自体は美術史と長い関わりをもっている。レオナルド・ダ・ヴィンチは死体を解剖して身体を描く技術を高めたし、17世紀のオランダの画家たちは「死生観」を象徴するメメント・モリ＊として、静物画の中に色あせた頭蓋骨を描きこんだ。

現在

　「死」というテーマは普遍的で、白い骸骨やマントをまとった死神の姿で表現されることが多い。一方、タロット占いなどの伝統的な慣習では、死は恐れるべきものではなく再生の前兆を意味する。いずれにせよ、死後に残る「骨」という命の痕跡は私たちの興味を引きつけ、古来から現在にいたるまでアートのインスピレーション源になってきた。スイスのアーティスト、オラフ・ブルーニングは2002年のインスタレーションで、まるで生きている人間そのままに、庭や部屋のあちらこちらに骸骨を配置した。

　エセニア・チボー＝ピカソ（Yesenia Thibault-Picazo）の《カンブリアン・ボーン・マーブル　Cumbrian Bone Marble》という作品は、2001年に口蹄疫の影響で百万頭もの家畜の牛が殺処分された場所で、数十世紀後にその骨を含む地層が発掘され、アートの素材として使われるという未来を想定したものだ。この刺激的なプロジェクトは、私たちが年間数百万トンもの食品廃棄物を生み出しているという現実にも気づかせてくれる。

ヒント

　根源的なボーンという色と、柔らかみのある自然なニュートラルカラーとの組み合わせはモダンな空間にぴったりで、過去との対話を重視する環境に欠かせない配色だ。

カラーコード
Hex値：#d9cfc6
RGB：217, 207, 198
CMYK：17, 18, 22, 1
HSB：28°, 9%, 85%

イメージ
・身体的
・原始的、根源的
・柔らかい

＊訳注：メメント・モリ／memento mori ラテン語で「自分がいつか死ぬことを忘れるな」という意味の警句。

アート・デザイン・文化に見られるボーン

・絵画《ヴァニタス Still Life
with a Skull (Vanitas)》
フィリップ・ド・シャンパーニュ
1660年代頃
・絵画《スケルトン Skeletons》
オラフ・ブルーニング 2002年
・彫刻《いつか死ぬのをお忘れ
なく Remember You Must
Die》シリーズより エマ・ウィッ
ター 2019年

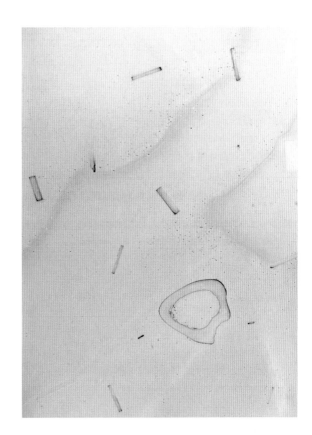

《カンブリアン・ボーン・マーブ
ル Cumbrian Bone Marble》
シリーズより エセニア・チボー
＝ピカソ Yesenia Thibault-
Picazo 2013年

チタンホワイト Titanium White

起源と歴史

　20世紀初頭にこのチタンホワイトが発明されたことで、数千年もの間なかなか手に入らなかったホワイトの中のホワイトが顔料として登場した。リード・ホワイト（鉛白）（p.246参照）の倍の不透明度があり、光の反射率も高いため、絵画に使うと非常に明るく見える。これによってアートやデザインにおけるホワイトの使い方は大きく変わり、いま私たちが目にしているような明るい色調が生まれた。

　概念的に、チタンホワイトのような鮮やかな白（ブリリアント・ホワイト）は、「大爆発（ビッグバン）の後」「白い光」「後に何も残さない脱出」「新たな始まり」といった確固たる出発点を表す。

現在

　今ではどこにでもあるブリリアント・ホワイトは、品質の良さの象徴となっている。たとえばAppleでは、純白と光沢のあるメタルカラーとの組み合わせを主要製品の基本配色とし、本当に必要なもの以外をそぎ落としてデザインで高品質をアピールしている。また、ホワイト、ブラック、クリームのみの厳格なモノクロームのパレットは商業的な成功を数多く収めており、モダニズムの普遍的な象徴として高級ブランドに用いられている。シャネルのクリエイティブ・ディレクター、カール・ラガーフェルドはかつて、「ホワイトとブラックは、その言葉が何を意味するかに関わらず、常にモダンに見える」と述べている＊。

ヒント

　光輝くクリーンな特徴をもつチタンホワイトは、ジェットブラックと組み合わせると完璧なバランスのペアになる。時代を問わないこの組み合わせで、スマートで洗練されたブランド・アイデンティティをつくろう。

カラーコード
Hex値：#fbfaf6
RGB：251, 250, 246
CMYK：2, 1, 4, 0
HSB：48°, 2%, 98%

別名
・ブリリアント・ホワイト
　（Brilliant White）
・ブライト・ホワイト
　（Bright White）

イメージ
・純粋
・神聖
・アイコン的

アート・デザイン・文化に見られるチタンホワイト
・絵画《白の上の白》カジミール・マレーヴィチ　1918年
・絵画《ブロードウェイ・ブギウギ》ピエト・モンドリアン　1942–3年
・プロダクトデザイン「ホワイトのiBook」Apple　2001年

＊『The Little Black Jacket: Chanel's Classic Revisited
リトル・ブラック・ジャケット：シャネルのクラシックの再考』カール・ラガーフェルド＆カリーヌ・ロワトフェルド、Steidl、2014年

シャネル 2020年春夏オートクチュール・コレクション パリ

ルナホワイト Lunar White

起源と歴史

　ミステリアスな月は昔から芸術家や科学者を魅了してきた。ロマン派の画家フランシスコ・デ・ゴヤは、1789年に描いた《魔女の安息日》で、月を「異界の者」を導く白い光として表現した。同様に、J.M.W.ターナーの《戦艦テメレール号》では、細い三日月がこの世のものとは思えない真珠のような光を放ち、見る者を一気に絵の世界へと引き込む。1969年に初めて人類が月面に降り立ったときには、世界中のテレビ画面に白みがかった灰色の平らな月面の画像がぼんやりと映し出され、まったく新しい月のイメージと神話が近代社会に提示された。

現在

　月は、今なおアートやデザインのインスピレーション源であり続けている。2007年、ハビタ（Habitat）社はバズ・オルドリンと手を組み、1969年にオルドリンが歩いた月面を完全に再現したミニチュアのランプ「ムーンバズ Moonbuzz」を発表した。また、ジェームズ・タレルが2019年に手がけた《アクエリアス ミディアム・サークル・グラス Aquarius, Medium Circle Glass》は月から着想を得た発光する彫刻作品だった。鑑賞者はその作品の前に思わず立ち止まり、静寂のなかで知覚が変容するのを感じた。さらに、住環境になじみやすいデザインのハイテク製品を求める声の高まりを受け、オーディオテクノロジー企業のソノス（Sonos）社は、業界で主流のくっきりとしたホワイトやブラックに代わる穏やかな色として、ルナホワイトをスピーカー「Move」に採用した。

ヒント

　どこか現実感のないバイオレットグレイを帯びた月の色は、刺激過多の現代社会に生きる私たちに必要な「静かに思いにふける時間と心の安らぎ」を与えてくれる。また、ソフトなルナホワイトと繊細なパープルブルーを配色した製品には気分を高める効果がある。

カラーコード

Hex値：#ced5dc
RGB：206, 213, 220
CMYK：23, 13, 11, 0
HSB：210°, 6%, 86%

別名

・ムーンホワイト（Moon White）

イメージ

・内省的
・魅惑的
・静けさ

アート・デザイン・文化に見られるルナホワイト

・写真《世界 Le Monde》マン・レイ 1931年
・写真《地球の出》ウィリアム・アンダース 1968年
・インスタレーション《皆既食 Totality》ケイティ・パターソン 2016年

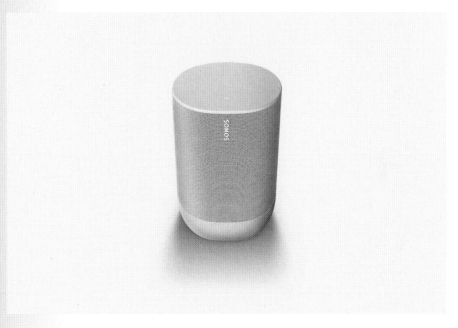

スピーカー「Move」（ルナホワイトカラー）ソノス（Sonos）社

グレイシャル・アイス Glacial Ice

起源と歴史

1893年、北極圏で氷河に囲まれて凍えていたノルウェーの探検家、フリッチョフ・ナンセンはこう回想した。「北極圏の夜ほどに美しいものなどあろうか。想像しうる最も繊細な色合いで描かれた夢の国だ。その色はこの世のものとは思えない。色が互いに溶けあっているのだ」*。人は、この冷たいアズール・ブルーを基調に感じさせるまぶしいホワイトの世界に心をぐっとつかまれる。19世紀、アメリカの画家フレデリック・エドウィン・チャーチは、遠くへと広がっていく白い地平線と、重なり合う氷河の凍てついた普遍性とを対比させて描いた。

現在

南極大陸では過去30年間に28兆トンもの氷が溶け、今後もさらに氷は減少すると予測されている。地球温暖化が北極圏に与える影響を示そうと、現代アーティストのオラファー・エリアソンは、氷の動きとそれが風景に与える影響を観察するアート作品を生み出した**。その作品では本物の氷の塊を使って、生命を支える氷河の繊細な壊れやすさを表現した。1989年に北極点を訪れたアンディ・ゴールズワージーは、イヌイットの伝統的な雪切りと積み方の技術を学び、地球の最北端の地に4つの巨大なリングを制作した。

この氷河の色（グレイシャル・アイス）は、人間の社会活動が気候変動を引き起こしていること、失われつつある大切なものを必死に守るべき段階に来ていることを、緊急性を持って伝えている。

ヒント

優しく清涼感のある氷の色は、地球が生き残るために必要な要素を表している。グレイシャル・アイスにアルジェ・グリーン、ブライトシアンを組み合わせ、エコロジカルなメッセージをはっきりと斬新な表現で伝えよう。

カラーコード
Hex値：#c7d9e7
RGB：199, 217, 231
CMYK：26, 9, 7, 0
HSB：206°, 14%, 91%

イメージ
・異世界
・冷たさ
・落ち着き

アート・デザイン・文化に見られるグレイシャル・アイス
・絵画《氷山》フレデリック・エドウィン・チャーチ 1861年
・ビデオインスタレーション《氷を割って海を進む Axing Ice to Cross the Sea》フー・シャオユアン Hu Xiaoyuan 2014年
・キッチン・コンセプトデザイン《「アルタード・ステイツ」インスタレーションより、氷の島 Ice Island from 'Altered States' installation》スナキテクチャ＆シーザーストーン Snarkitecture & Caesarstone 2018年

* Nansen, Fridtjof, Farthest North, New York: Modern Library, 1999 (1897)
『フラム号北極海横断記：北の果て』フリッチョフ・ナンセン著、太田昌秀訳、ニュートン・プレス、1998年

** 訳注：オラファー・エリアソン《アイス・ウォッチ Ice Watch》2018年 ロンドン

《タッチング・ノース Touching North》アンディ・ゴールズワージー 1989年

アーキテクチュラル・ホワイト
Architectural White

起源と歴史

ホワイトには、空間の広がり、開放感、スピリチュアルといったイメージが伴うことが多い。そのため、アーキテクチュラル・ホワイトのように清潔感と柔らかさがあり、ややニュートラルな色調をもつ白がデザインの世界で重宝されるのはなんら不思議ではない。塗料ブランド、シャーウィン・ウィリアムズ（Sherwin-Williams）社によると、この色が歴代ナンバーワンのベストセラーだと言う。

スイスの巨匠ル・コルビュジエは、20世紀初頭から半ばにかけて建設されたシンプルで開放的な近代建築の純粋さを強調するためにホワイトを用いた。ホワイトで統一されたインテリアのイメージは、クリーンで、まっさらで、無垢だ。こうした秩序のある簡潔さは現代デザインにも受け継がれ、ライフスタイルや美的感覚に反映されるようになった。

現在

建築界の「白への愛」は今なお続き、清潔感のある白い建物が真っ白なカンバスのようにすべてを内包し静かに守ってくれる。1980年代にはイギリスの建築家ジョン・ポーソンがアーキテクチュラル・ホワイトを自らのしるしとし、静かで整頓されたミニマルな環境と組み合わせて、建物内の空間感覚を高めるのに用いた。ポーソンは、「全体としてのまとまり、各セクションのバランス、そして光をできる限り調和させることが難しい」（脚注）と言う。ポーソンは「カルバンクライン」の店舗に、特徴的ながらんとした空間を提案した。また「ブティックホテルの先駆者」と呼ばれるイアン・シュレーガーがプロデュースするホテルには、けばけばしさを徹底的に排除することで新しいラグジュアリー観を生み出した。

ヒント

このシンプルなホワイトにグラスグリーンやスカイブルーをバランスよく組み合わせ自然な雰囲気を引き立てよう。

カラーコード
Hex値：#e3e3e3
RGB：227, 227, 227
CMYK：13, 9, 11, 0
HSB：0°, 0%, 89%

イメージ
・モダン
・静か
・光

アート・デザイン・文化に見られる
アーキテクチュラル・ホワイト
・建築《サヴォア邸》
　ル・コルビュジエ パリ、フランス
　1928-31年
・建築《ノヴィー・ドヴール聖マリア修道院 Abbey of Our Lady of Novy Dvur》
　ジョン・ポーソン ボヘミア、チェコ共和国 1999-2004年
・建築《ルーヴル美術館ランス別館》SANAA フランス
　2012年

*「白の上の白」ジョン・ポーソン、ジョン・ポーソン・ジャーナル、2016年1月号
http://www.johnpawson.com/journal/white-on-white

《光のタワー Tower of Light》トンキン・リュー マンチェスター 2021年

パール Pearl

起源と歴史

　トンボの羽、石けんの泡、つやのある真珠やその貝殻などに光が当たると、その光がはかなげな色から鮮やかな色へと複雑にうつろい変化するのを目にしたことがあるだろう。パール・ホワイトとは、夕焼けに照らされてまろやかに輝く真珠のような精細で美しい光沢を放つ白色を指す。こうした自然の構造が生み出す色彩効果（構造色）を「イリデッセンス」という。自然界に存在する肉眼では見えない極小の凹凸が光の反射の干渉を起こし、見る角度によって色が変化する現象だ。このような現象が起こるのは淡いペールカラーだけではない。カササギの羽、オイル、希少なブラックオパール（ホワイトやグレーも同じ）といった暗い色の素材でも同様の効果が見られる。このイリデッセンスの特筆すべき点は、物質としての実体がないということ。顔料ではなく光の特性なので、色あせるのは素材の基質そのものが劣化したときだけだ。

　19世紀、西洋の芸術家たちはこの現象をどうにか記録しようと試みた。たとえば、ジョン・ジェームズ・オーデュボンはエキゾチックな鳥のイラストをカラフルに描いたが、イリデッセンスの神秘を表現できる画材がなかったためにうまくいかなかった。

別名

・パーレッセンス（Pearlescence）
・イリデッセンス（Iridescence）

イメージ

・魅惑的
・神秘的
・エキゾチック

アート・デザイン・文化に見られるパール

・ラスターウェア《ジャルディニエール（装飾用花器）Jardiniere》クレメント・マシエ　1893-95年
・テキスタイル・ペインティング《無題》マッティ・ブラウン　2014年
・研究論文《ナノ構造体干渉によるインクジェットカラー印刷 Inkjet Color Printing by Interference Nanostructures》アレクサンドル・V.ヤコヴレフほか　ACS Publication　2016年

《アメリカカササギ（『アメリカの鳥類』より）》
ジョン・ジェームズ・オーデュボン　1827-38年

現在

　20世紀半ば以降にはイリデッセンスの研究が進み、それを模した人工の光沢素材がどんどん開発されている。そうした素材は自動車のコーティングや化粧品に使用されたり、紙幣の偽造防止の印刷に活用されたりと、幅広い分野で応用されている。最近ではプラスチック廃棄物に対する意識の高まりを受けて、デザイナーのエリッサ・ブルナートが環境に優しいスパンコールを開発した。従来のプラスチック製スパンコールの代わりに植物由来の天然成分セルロースが持つ光に干渉する性質を利用し、色を変えられるうえに堆肥にもできる素材をつくり出したのだ。

　こうした科学とデザインの領域を融合した魅力的な研究は、「構造色」が持つ大きな可能性の全体像をようやくつかみ始めたばかりの段階だ。自然界に存在するイリデッセンスの性質をもっとよく観察し、その流動的にきらめく色の秘密を探ることで、私たちがまだ知らない光学的な色彩の世界を明らかにできるに違いない。

ヒント

　ブラック＆ホワイトの基本的な配色に、鮮やかな色彩のグラデーションが波の様に織り混ざるデザインを探求してみよう。先進的なテクノロジー企業のブランド・アイデンティティなどに適している。

自然界に存在する
イリデッセンスの性質をもっとよく観察し、
その流動的にきらめく色の秘密を
探ることで、私たちがまだ知らない
光学的な色彩の世界を
明らかにできるに違いない。

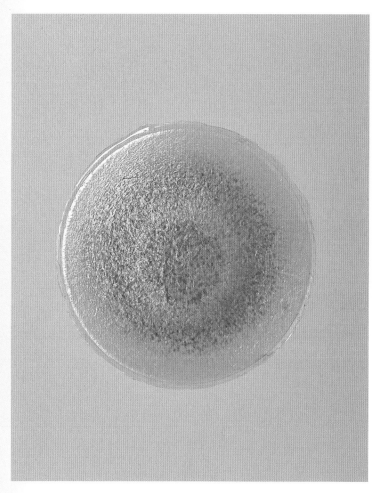

《バイオ光沢スパンコール Bio Iridescent Sequin》
エリッサ・ブルナート Elissa Brunato 2018年

グレイ＆ブラック
Grey & Black

　グレイやブラックには暗く厳格なイメージがあるかもしれないが、本当はさまざまな歴史や個性を持つ微妙な色合いが集まったグループだ。ホワイトからブラックへと変化していく過程は、モノクロの単純な1本線ではなく、そこにはブルーやグリーン、パープルやブラウンといった無数のニュアンスが存在している。光と闇の、そしてその間にある影に潜むものへの緊張感は、古くから美術の世界で関心の対象になってきた。イタリアのルネサンス期の画家たちは「キアロスクーロ（明暗法）」という技法を開発し、暗いステージに立つ主人公にスポットライトを当てるようにして、ドラマチックな明暗の対比で題材や雰囲気を強調した。

　この章で紹介するグレイやブラックの多くは、シルバー、コンクリート、オブシディアン（黒曜石）など、特定の物質の色である。これらの物質はもちろんその魅力的な色だけでなく、素材としての特性が高く評価されるものである。最初の黒色顔料は古代の人々が焚き火をした後の残り木で、それがチャコール（木炭）となり私たちの祖先は洞窟の壁に印をつけるのに使った。それと同じものを現代の私たちもまだ使っている。木炭はベルベットのような豊かな黒色を表現できることから画家たちに愛されてきたが、最近ではその吸収性の高さでデザインの分野でも注目されている。その一方で技術の進歩により、色彩開発の最先端ともいえる超現実的で圧倒的な黒さを持つベンタブラックが誕生した。光の99.965％を吸収し、極めて黒く見える物質で、塗布したものの形状はほとんど認識できなくなる。はるか遠くの宇宙空間のイメージ化や光学分野に応用されるとともに、アーティストやデザイナーもこの色を取り入れている。

グレイは、暗く重苦しい陰影から軽やかな空気感まで、描く対象にさまざまな補助的なニュアンスや深みを与えてくれる。これから紹介するグレイの色調の多くは工業化の遺産を引き継ぐもので、アルミニウム製の階段や、冷ややかな印象を与えるコンクリートむき出しの高架道路の柱など、好むと好まざるとにかかわらず、私たちの日常生活の一部となっている色だ。今後、脱工業化と環境に優しい社会づくりを目指す上で、こうした素材や色をどのような手段とセオリーで取り入れていくべきか非常に興味深い。

このグレイの色域は、直線的に伸びるものではなく多次元的な空間に広がっている。現代のデザイナーやアーティストにとって、とてつもなく柔軟で多面的なパレットであるととらえるべきだろう。

グレイ&ブラックの章：

シルバー Silver

起源と歴史

　ゴールドが太陽と男性的なエネルギーを連想させるように、シルバーは月と女性的なものを連想させる。また、光を反射して輝くシルバーは、月のように複雑で相反するイメージを伴うことも多い。金属としてのシルバーは純粋さを連想させるが変色しやすい。そのため、英語で「Silver-tongued（弁が立つ／「銀色の舌」）」という言い回しは、「説得力のある言葉には裏がある」という意味になる。加工しやすい金属なので有史以前から採掘されて宝飾品などに使われてきたが、柔らかいために摩耗や破損しやすいという欠点もある。

　シルバーは世界で最も貴重な金属のひとつである。そのため、この金属の獲得を巡って戦争が起きたり、その名称にちなんで国名が付けられたり*、硬貨が作られたりと、歴史上多くの場面で富や地位と結び付けられてきた。しかし、1960年代になると新たな意味が付け加えられた。銀髪のウィッグを被ったポップ・アーティストのアンディ・ウォーホルがシルバーを多用したアート作品群を手がけ、「60年代はシルバーにとって完璧な時代」**と宣言した。また同じ頃、ファッションの分野でも宇宙開発競争からインスピレーションを受け、きらめく銀色のボディペイントにメタリックなアイシャドーを合わせるスタイルが流行。アンドレ・クレージュなどのデザイナーはモデルに未来的なシルバーの衣装を着せた。

現在

　イメージはさておき、シルバーそのものは汎用性の高い、時代を超越した色だ。ゴールドとは違い、ニュートラルな色合いは他の色と衝突することなく幅広い色調を引き立てる。一方で、華やかなレッドカーペットを歩く俳優陣が活躍する映画を銀幕（シルバースクリーン）と呼ぶように、私たちはこの色を見てエレガントで洗練されたイメージを抱く。また、物質としてのシルバーには抗菌効果があるため、医療分野では手術着や傷を覆う包帯などに使用される。

カラーコード
Hex値：#d5d5d5
RGB：213, 213, 213
CMYK：19, 14, 15, 0
HSB：0°, 0%, 84%

イメージ
・繁栄
・洗練
・未来的

*訳注：銀にちなんだ国名　アルゼンチン共和国。ラテン語で銀を意味する"Argentum（アルゲントゥム）"に由来する。

** Atelier Éditions (Ed.), *An Atlas of Rare and Familiar Colour: The Harvard Art Museums' Forbes Pigment Collection*, Los Angeles Atelier Éditions, 2019

ヒント
　華やかなシルバーには単なる装飾品にとどまらない活躍の場が
あるだろう。淡いクリーム色やヌードカラーと組み合わせて近未
来的なメッセージを発信しよう。

**アート・デザイン・文化に
見られるシルバー**
・インスタレーション《銀の雲》
　アンディ・ウォーホル　1966年
・ファッション《シルバーとブラッ
　クのドレス　現代の素材を用い
　た12の着用不能なドレスコレ
　クションより Silver and black
　dress from Twelve
　Unwearable Dresses in
　Contemporary Materials》
　パコ・ラバンヌ　1966年
・ファッション《2018年秋冬コ
　レクション》MM6 メゾンマル
　ジェラ　2018年

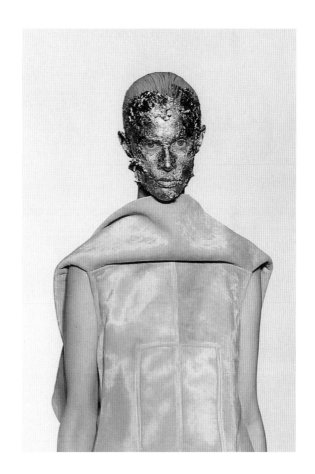

リック・オウエンス
2015-16年秋冬
ウィメンズウェア・コレクション

アルミニウム Aluminium

起源と歴史

　この明るいグレイの金属が工業的に使われるようになった歴史は比較的浅いが、現在では世界で最も一般的な材料のひとつになっている。化合物としては何千年も前から使用されてきたものの、純粋なアルミニウムが工業的に生産できるようになったのは19世紀も後半になってからだった。アルミニウムの軽量な性質は、20世紀初頭に飛行機を発明したライト兄弟の初飛行の成功に一役買った。その後、ビール会社の「アドルフ・クアーズ」が今や定番のアルミニウム缶をつくり出した。

　安価で、潤沢にあり、比較的加工しやすいアルミニウムは、航空分野や自動車エンジンだけでなく、家庭用品、建築、装飾品など、幅広い産業や製品にあっという間に取り入れられた。鋳造する、切る、スピニングする、型押しする、圧延する、砕く、機械加工するなど、さまざまな手法で形を変えて応用することができる。機械工学の分野で広く使用されているので、あえて工業的な印象を与える意図で用いられることも多い。たとえば、実用的なデザインで知られるエメコ（Emeco）社の「ネイビー・チェア1006」はもともとアメリカ海軍のためにデザインされたものだった。荒波に耐えられるように椅子を支柱などにしっかりと固定するためのボルト穴が計算された位置に開けられている。この工業的なデザインが特徴の椅子は、後に高級インテリアにも使われるようになった。

カラーコード
Hex値：#adacab
RGB：173, 172, 171
CMYK：35, 27, 28, 6
HSB：30°, 1%, 68%

イメージ
・工業的
・冷たい
・スマート

アート・デザイン・文化に見られるアルミニウム
・彫刻《シャフツベリー記念噴水》ピカデリー・サーカス、ロンドン アルフレッド・ギルバート 1892-3年
・彫刻《翼のある人物 Winged Figure》バーバラ・ヘップワース 1963年
・店舗外観・内装デザイン《「デイリー・ペイパー（Daily Paper）」》ニューヨーク・フラッグシップストア ヘザー・フォールディング（4plus Design）Heather Faulding of 4plus Design 2020年

《ピラミッド型の棚 The Pyramid Shelves》ブラム・ヴァンデルビーク ウェンディー・アンドルー
Bram Vanderbeke & Wendy Andreu 2019年

現在

デザインにおいて、アルミニウムは都会的な大量生産品の代名詞となっている。だが、新世代のデザイナーやブランドはアルミニウムを工場生産から鋳造作業の場へと戻し、より現代的な使い方を再構築し始めている。かつてF1カーをブランディングするために使われていたアルマイト（陽極酸化処理）などの高度な表面加工技術を取り入れ、アーティストたちは金属の表面に透明感のある光沢を生み出して真の美しさを表現しようとしている。

アルミニウムは、品質を損なうことなく繰り返しリサイクルできるため、プロダクトデザインにおける持続可能で環境に優しい素材の選択肢となっている。2018年、AppleはMacBook Airの新モデルに100％リサイクルのアルミニウムを使用すると発表した。

ヒント

アルミニウムには工業製品そのものといった見た目と印象がある。彩度の高い純色と組み合わせると鮮やかで活気のあるイメージに。

アルミニウムは機械工学の分野で広く使用されているので、あえて工業的な印象を与える意図で用いられることも多い。

アルミニウム製の MacBook Air Apple 2018年

アルトストラタス Altostratus

起源と歴史

アルトストラタス（高層雲）は、空の中層に見られるグレイブルーを帯びた層状の雲の名前だ。これまでさまざまな芸術家や作家が、雲の驚くほど変化に富んだ性質にインスピレーションを受け、表現しようと試みてきた。たとえば、J.M.W.ターナーの作品には、日の出や日の入りの光に彩られた雲や、嵐の中で難破船を翻弄する威圧的な暗黒の雲が描かれている。

日本語には、さまざまな雲の表情を伝える言葉がある。うろこ状の雲の形を説明する「鰯雲」は英語の「mackerel sky（サバ雲）」によく似ている。一方で、修行僧の坊主頭にちなんで名付けられた「入道雲」（積乱雲）は、さらなるイメージを喚起させるようなネーミングだ。季節を象徴する表現のひとつ「秋の空」は、気持ちの良い青空の高いところに薄い層状の雲がかかる様子を表し、それはきっとアルトストラタスを指すものでもあるだろう。葛飾北斎の代表作《富嶽三十六景》（1830−32年）には、雲が多彩な表情で描かれている。白い雲がほんの少しだけ浮かぶ青空から、午後にはどんよりとした曇天へ。雲の変化でその日の雰囲気ががらりと変わる様子が見事に表現されている。

現在

デザインやアートに見られるさまざまな雲の色の中で、アルトストラタスは特に透明感と光を感じさせる。この色の持つ詩的で軽やかな特性は、日本のデザインスタジオ「nendo」のホームウェアで美しく表現されている。たとえば特注のシェルフでは、暖色と寒色のグレイで着色された透明なガラスのディスクが重なり合い、繊細で美しい雲のような雰囲気を醸し出す。

カラーコード
Hex値：#a9abb1
RGB：169, 171, 177
CMYK：42, 28, 25, 6
HSB：225°, 5%, 69%

別名
・クラウド・グレイ
　（Cloud Grey）

イメージ
・空気のような、
　この世のものとは思えない
・寂しい
・優しい

右：《冨嶽三十六景 駿州江尻》
葛飾北斎 1830-32年頃

**アート・デザイン・文化に
見られるアルトストラタス**

・絵画《海の習作 ボートと嵐の
　空 Seascape Study: Boat
　and Stormy Sky》ジョン・コ
　ンスタブル　1828年
・絵画《アブストラクト・ペインティ
　ング（グレイ）（880−3）》ゲルハ
　ルト・リヒター　2002年
・家具「ローテイティング・グラス・
　シェルフ rotating-glass
　shelf」nendo（ラスビット社向
　け）2013年

ヒント

　心地良く柔らかなベールのようなグレイには瞑想的な効果があ
る。地平線の上でサーモンピーチからグレイブルーへとうつろう
淡い空の色からインスピレーションを得て、心を穏やかにするイ
ンテリアの配色を考えてみよう。

コンクリート Concrete

起源と歴史

好むと好まざるとにかかわらず、ほとんどの現代都市の建築物やインフラ構造物にはコンクリートが使われている。コンクリートは砂や砂利などの骨材と石灰を水で練った材料で、流動性があって加工しやすく、硬化して石のように固まる。磨いたり、削ったり、切り出したり、彫ったり、ケーキミックスのように流し込んだり、テラゾチップ（人造大理石を砕いたもの）のように粗くつぶしたり。彫刻のようにも、粘土のようにも使え、無限の効果を発揮できるものだ。

コンクリートと言えば20世紀半ばの「機能主義」や「ブルータリズム*」の社会的な建造物と結び付けられがちだが、中東では紀元前1300年頃に石灰をベースにした初期のコンクリートがすでに使用され、そのポテンシャルを示していた。ナバタイ人はこのコンクリートを使って家を建てていたが、それ以上に重要なのは、地下の貯水槽の防水にもそれを使っていたことだ。水を貯められたおかげで、ナバタイ人は砂漠の真ん中に岩を切り出して驚異的な都市をつくり、その首都ペトラを中心に強力な王国を築くことができた。

現在

今日、コンクリートの用途は機能的なものからライフスタイルを彩る日用品にまで多岐にわたる。植木鉢や磨き上げられたキッチンの作業台、コム・デ・ギャルソンにいたっては香水のコンセプトと容器にまで使用した。打ちっぱなしのコンクリートは多くのデザイナーや建築家にインスピレーションを与え、素材そのものの美しさを生かして華美ではないラグジュアリー感の演出に役立てられている。また、研磨したコンクリートの光沢に別の可能性を見出すクリエイターたちもいる。

カラーコード
Hex値：#a6a2a0
RGB：166, 162, 160
CMYK：36, 30, 31, 9
HSB：20°, 4%, 65%

イメージ
・頑強
・手触りのよい
・ミニマル

*訳注：ブルータリズム Brutalism 1950年代に見られた建築様式で、粗野で冷酷な（ブルータルな）印象を特徴とする。打ちっ放しのコンクリートなどを用いた彫塑的な表現が主流。

**訳注：日本では海砂は塩化物イオンが鋼材の腐食要因になりうるので一般的に好ましくないとされている。

　しかし、この素材は環境への負荷が大きいのが課題だ。製造時には大量のCO_2を発生させ、膨大な量の海砂を必要とする＊＊。砂漠の砂では十分な強度がでない。廃棄時にも、埋め立てるしかないので問題になる。イギリスの建築家チーム「アセンブル（Assemble）」は、手で着色したコンクリートタイルを使って、その現場で仮設の建物を組み立てたり、またそれを解体して必要に応じて再構築できるようにデザインすることで、都市環境の再考に取り組んでいる。

ヒント
　暖かな生命力を感じるアースカラーと組み合わせてコンクリートの暗い色調とのバランスを取ろう。環境への影響に十分に配慮したデザインを心がけたい。

《ヤードハウス》アセンブル
Assemble ロンドン 2014 年

スラグ Slag

起源と歴史

　スラグとは、金属の精製後に残る不純物からできた半光沢の
ブラウングレイの残渣物だ。スラグの歴史をたどると、古代メソ
ポタミアのガラス製品には、スラグを粉砕して焼成し黒いガラス
状の器を作った痕跡が残っている。産業革命以降、鉄鋼の精
錬が商業的に広く行われるようになり、20世紀初頭には自然の
中にスラグが捨てられて山のように積まれた。その光景は当時の
多くの芸術家にとって印象深いものだった。イギリスのアーティス
ト、プルネラ・クラフ（Prunella Clough）の作品には、のどか
な田園風景の中に捨てられたスラグの山の記憶が影響している。
心から離れない、現在進行形の環境破壊のイメージだ。

現在

　現代におけるスラグの主な用途はセメントの材料になること。
セメントもまた、もうひとつの機能的なグレイカラーだ。イギリス
のデザイナー・グループ「スタジオ・ザスザット（Studio
ThusThat）」はこのスラグを再利用して新しい価値を生み出すと
同時に、その過程で排出される二酸化炭素量を削減する取り組
みに挑戦している。ジオポリマーという技術を使ってスラグから
直接新しい黒いセメントを作り、その副産物として家具を制作し
ている。

ヒント

　ざらついた工業製品のイメージが強いスラグだが、そのグレイ
には暖かみもあり落ち着いた雰囲気を感じさせることもできる。
チャコールブラックやペールブルーと組み合わせればモダンでエ
コロジカルな印象と手触り感を表現できる。

カラーコード

Hex値：#736f6c
RGB：115, 111, 108
CMYK：51, 43, 44, 29
HSB：26°, 6%, 45%

イメージ

・汚れた
・廃棄物
・再評価

アート・デザイン・文化に
見られるスラグ

・絵画《投棄されるスラグ
　Tipping the Slag》エドウィン・
　バトラー・ベイリス Edwin
　Butler Bayliss 1940-5年頃
・絵画《ぼた山II Slag Heap
　II》プルネラ・クラフ Prunella
　Clough 1959年
・彫刻《スラグの習作》ジェイ
　ミー・ノース Jamie North
　2019年

《This is Copper コレクション》スタジオ・ザスザット Studio ThusThat 2019年

チャコール（木炭）Charcoal

起源と歴史

　チャコール（木炭）は、木を酸素の少ない状態でじっくりと焼いてできた天然の黒い物質で、人類最初の画材であるとともに、歴史的に見るとこれまでに驚くほどさまざまな用途に使われてきた素材だ。古代エジプト時代から医療に用いられ、古代フェニキア人は水のろ過にも使った。さらに9世紀になると、中国の錬金術師が木炭に塩硝と硫黄を組み合わせて火薬を発明した。

　芸術においては、1本の木炭さえあれば豊かな黒で表現力に富んだ絵が柔軟に描ける万能の画材だ。エドガー・ドガは木炭を愛用して女性の姿を繊細にスケッチしたし、20世紀のイギリス人アーティスト、デイヴィッド・ボンバーグ（David Bomberg）は、工業的な主題や場面を幾何学的な形状に落とし込み、木炭の豊かな陰影で構図の緊張感とエネルギーを強調している。

現在

　今日、木炭が不純物を吸着する性質に再び注目が集まっている。だが、すでに紹介したように、木炭によるろ過は今に始まったことではない。日本では17世紀から飲料水の浄化に炭を使用してきたし、アメリカのジャックダニエル社は、ウイスキーをメープルの木炭でろ過することにより透明度を高め、スモーキーなフレーバーを加えている。

　デザインでは、アムステルダムのアパレルブランド「センスコモン（Senscommon）」が、日本の繊維メーカー、内野株式会社とコラボレーションを組み、活性炭を使って体臭を消し、環境汚染から身を守る「浄化作用」のある衣料品を開発した。また、オランダを拠点とするイタリアのデザインスタジオ「フォルマファンタズマ（Formafantasma）」は、伝統的な炭焼きの技術を参考に、炭そのものを使ってフィルターやレードル、器のシリーズを制作している。

カラーコード
Hex値：#2a271f
RGB：42, 39, 31
CMYK：61, 55, 63, 80
HSB：43°, 26%, 16%

イメージ
・時間を超越した
・原初の
・表現力のある

**アート・デザイン・文化に
見られるチャコール**

・ドローイング《セント・イロイ
R14の掘削作業をするカナダ・
トンネル会社の工兵 Sappers
at Work: Canadian
TunnellingCompany, R14,
St Eloi'》デイヴィッド・ボンバー
グ 1918-19年
・ドローイング《夜空 #19
Night Sky #19》ヴィヤ・セルミ
ンス 1998年
・ファッション《オン・ジャーニー・
ウェア・コレクション On-
Journey Wear collection》
センスコモン（Senscommon）、
内野株式会社 2019年

ヒント

　長い歴史を持つチャコールの深みのあるスモーキーな黒は本
質的に落ち着きのある色だ。柔らかなブラックとグレイだけで構
成された心に響く穏やかなモノトーンの配色をつくろう。

《「チャコール プロジェクト」より》
フォルマファンタズマ
（Formafantasma）
「ヴィトラ・デザイン・ミュージアム
（Vitra Design Museum）」
向けに制作 2012年

インクブラック Ink Black

起源と歴史

　現在わかっている最古の炭素由来の筆記用黒インクは、油や木を燃やしたときにできる煤のようなランプブラック（油煙）だった。紀元前3200年、古代エジプト人はすでにタイポグラフィのルールを確立しており、本文のテキストには黒いインクを、強調したい箇所や見出しには鉄を成分とする赤色など黒以外の色を使っていた。15世紀半ばにヨーロッパで機械式印刷機が発明されたとき、この新しい領域を開拓する最初のインクとなったのもランプブラックだった。

　中国、日本、東南アジアの初期の文明では、インクと先の尖った針を使って文字を書くことが一般的だった。ほかの文明でも果物の種を炭化させたり、植物や樹皮を煮出したりして天然のインクをつくっていて、それぞれに異なるニュアンスや、象徴的な意味を持っていた。レオナルド・ダ・ヴィンチが愛用していたのは、没食子*を炭化させて作ったインクだった。

　しかし、現在最も有名なのは「インドインク（墨汁）」だ。不透明でビロードのような質感を持つブラックで、当初は中国で作られていたが、貿易の関係で英語では「インドインク（India(n) ink）」と呼ばれるようになった。細かく砕いた煤とシェラックなどの結合剤から作られ、独特の永続性のある黒色が特徴で、美術や書道、カリグラフィーに使用される。

現在

　インクは実際に手で触れ、手を動かし、指先や紙を汚しながら直感的に書くという楽しさがある。これはデジタルでは決して味わえない魅力だ。書道やカリグラフィーは近年、心を豊かに整える（マインドフルな）活動として新たな注目を集めている。また、毎年恒例のオンラインイベント「インクトーバー（Inktober）」では、世界中のアーティストがインクを使った作品を制作し、ソーシャルメディアに投稿している。インクは現代の美術界でも人気の画材であり続けているのだ。日本の書道家でカリグラファーの下田恵子は、祖母がかつて使っていたのと同じ墨で素材感や伝統を探求している。

カラーコード
Hex値：#3b3e41
RGB：59, 62, 65
CMYK：70, 58, 52, 56
HSB：210°, 9%, 25%

別名
・インクウェル（Inkwell）
・インドインク（Indian Ink）

イメージ
・フォーマル
・一流
・本物

*訳注：没食子　ブナ科の植物の若芽が変形し瘤になったもの

右：《創》下田恵子

**アート・デザイン・文化に
見られるインクブラック**
・皮膚用特殊インク「ダーマル・
　アビス DermalAbyss」
　プロジェクト MITメディアラボ
　2017年
・デジタルプリント《誰か–010
　somebody–010》
　キム・ジュン 2014年
・浮世絵木版画《市村家橘の
　白滝佐吉 Ichimura Kakyo
　as Shirataki Sakichi》
　三代目歌川豊国 1861年

ヒント
　柔らかなグリーンやピンクを使ったグラデーションにインクブ
ラックとゴールドを組み合わせてみよう。思索や学びを深めるた
めの空間に適している。

ペインズ・グレイ Payne's Grey

起源と歴史

　究極的に憂うつな色、ペインズ・グレイは19世紀初頭に発明され、初めて使用された。元はプルシアンブルー、イエローオーカー、クリムゾン・レーキを混色してつくられたもので、どの程度水で薄めるかによって、ミッドナイトブルーのような風合いにも、スレートグレイのような色合いにもなる。考案者とされる水彩画家ウィリアム・ペイン（William Payne）は、この色を影や雲、遠くの山などを描く際に用いた。このペインズ・グレイをさっと薄く塗れば、情景に不安や哀愁といった感情を表現することができる。

　ジョージア・オキーフは、《ジョージ湖の暗雲 Storm Cloud, Lake George》という作品に見られるように、この色で見事に感情を表現した。ペインズ・グレイのスモーキーな色で描かれた遠くの山々は暗い深みを感じさせる。この色を濃く使うことで、オキーフは夫の実家があるジョージ湖のほとりに滞在していたときの強い憂うつを表現したと言われている。

現在

　地味で自然主義的なこの色は時代の流行に左右されず、明るい色をもしのぐほど活用されることもある。2010年代に入ってからは、映画『フィフティ・シェイズ・オブ・グレイ』のブームで、この独特なムードのあるグレイに再び関心が集まり、インテリアデザイン界に驚くべき影響をもたらした。実際、続編『フィフティ・シェイズ・ダーカー』では、冒頭シーンのインテリアにペインズ・グレイが使われ、ほかの寒色系のニュートラルなトーンとともに、ダークで官能的なムードを醸し出した。

ヒント

　さまざまなトーンのペインズ・グレイを使って繊細でニュアンスのあるパレットをつくり、ボタニカル・グリーンやインディゴ・ブルーなどの鮮やかで自然な色を添えて生命感を引き出そう。

カラーコード

Hex値：#395266
RGB：57, 82, 102
CMYK：76, 51, 33, 40
HSB：207°, 44%, 40%

イメージ

・憂うつ
・思慮深い
・ジェンダーを問わない

アート・デザイン・文化に見られるペインズ・グレイ

・絵画《ロバのいる風景 Landscape with Donkeys》ウィリアム・ペイン 1798年
・プロダクションデザイン『フィフティ・シェイズ・ダーカー』映画セット ネルソン・コーツ 2017年
・ファッション《2018年春夏プレタポルテコレクション》フセイン・チャラヤン 2018年

《ジョージ湖の暗雲 Storm Cloud, Lake George》ジョージア・オキーフ 1923年

オブシディアン（黒曜石）Obsidian

起源と歴史

　オブシディアン（黒曜石）は火山ガラスの一種であり、ブルーと
ブルーグリーンを基調に持つ魅惑的なブラックだ。石器時代の
人々は鋭利な黒曜石をナイフのように使用し、メソアメリカ文明で
は900年頃から黒曜石の刃を両側に何枚もはめ込んだパドル型
の武器「マクアフティル（macuahuitl）」が使用されていた。また、
アステカ文明では、神話に登場するテスカトリポカ神を讃えるため
に黒曜石の鏡をつくっていた。「テスカトリポカ（Tezcatlipoca）」
とは文字通り解釈すると「曇りガラス」という意味になる。その神
のためにつくられた黒い鏡は予言の道具として珍重された。

　また、芸術家たちも黒曜石を使用した。たとえば、17世紀ス
ペインの画家バルトロメ・エステバン・ムリーリョは、黒曜石の上
に油彩で宗教画を描くことにより、石の光沢が幻想的な明暗を生
み出し、神秘性が高まることを期待した。

現在

　産業界の性能設計分野では、オブシディアンが持つ光を曲げる
特性に着目し、流線型・液状に見える視覚効果を工業デザインに
取り入れている。2020年には韓国の現代自動車（Hyundai）が、
オブシディアン・ブラックのコンセプトカー「プロフェシー
（Prophecy）」を発表した。しかし、現代のクリエイターたちを何よ
りも惹きつけるのは、この物質が心にもたらす強い印象だ。韓国の
デザイナー、ソン・スンジョン（Seungjoon Song）の《オブシディ
アン Obsidian》は黒曜石と鏡を使った作品で、古代アステカ人の
黒曜石の使い方を思い起こせる。小さな黒曜石の半球が鏡を介
して完全な球体になる作品で、超現実的な小さな物体が、まるで
私たちの日々の虚心の真ん中に瞑想的に浮かんでいるようである。

ヒント

　テクノロジー製品に存在感のあるつややかなオブシディアンを取
り入れて好奇心を刺激し、燃えるような赤のポイントカラーを効か
せて性能の良さとパワフルさを強調しよう。

カラーコード
Hex値：#011a22
RGB：1, 26, 34
CMYK：99, 66, 56, 70
HSB：195°, 94%, 7%

イメージ
・霊的
・敬愛
・漠然

アート・デザイン・文化に
見られるオブシディアン
・絵画《聖なる愛と俗なる愛
　Sacred and Profane Love》
　ジョヴァンニ・バリオーネ
　1602-3年
・絵画《降誕 The Nativity》
　バルトロメ・エステバン・ムリー
　リョ 1665-70年
・自動車「プロフェシー」電気自
　動車コンセプトカー ヒュンダイ
　2020年

《オブシディアン Obsidian》ソン・スンジョン Seungjoon Song 2020年

ベンタブラック Vantablack

起源と歴史

　これまでに色彩の世界が演じた最大のマジックがベンタブラックだ。まるでSF映画から飛び出してきたかのように、このブラックは知覚を回避する。可視光線の99.965％を吸収するため、人間の目ではコーティングされた物体の形を読み取ることがほぼ不可能なのだ。ベンタブラックにはパントンの色票ナンバーもない。厳密な意味では色ではなく、どんな色の光もまったく反射しないことを意味するからだ。この物質は、無数の微小な繊維状のスーパーカーボンが垂直に並んだナノチューブの「森」であり、光が当たると反射するのではなく森がとらえて吸収する。

　2014年にサリーナノシステムズ（Surrey NanoSystems）社が発明して以来、このユニークな物質は、NASAの深宇宙のイメージ化作業や、スマート光学、そしてアートの世界にも活用されて躍進を遂げてきた。その一方で、彫刻家のアニッシュ・カプーア（Anish Kapoor）がベンタブラックの独占使用権を獲得して自分の作品でだけ利用できるようにし、世界中で独占的なアートプロジェクトを展開して大きな議論を巻き起こした。

現在

　カプーアによるベンタブラックの独占に激怒したアーティストのスチュアート・センプル（Stuart Semple）は、2019年に「世界で最もフラットでマットなブラックのアクリル塗料」とされる「Black 3.0」を発表した。可視光線の98〜99パーセントを吸収するこの塗料は、プロジェクトのキックスターター（Kickstarter）ページから誰でも購入できるようになっている。ただし、ひとつだけ条件がある。「あなたの知識、情報、信念の限りにおいて、この材料をアニッシュ・カプーアの手に渡らないようにする」というものだ*。

別名
・ナノブラック（Nanoblack）

イメージ
・未来的
・引き込まれる
・人目を盗む

* https://www.kickstarter.com/projects/culturehustle/the-blackest-black-paint-in-the-world-black-30

右：「ヒュンダイ・パビリオン」
アシフ・カーン
平昌冬季五輪、韓国 2018年

　その後、MIT（マサチューセッツ工科大学）の研究者らが、より商業的な利用を可能とするナノブラック物質を開発した。「BMW」は「X6 モデル」をベンタブラックでコーティングし、建築家のアシフ・カーン（Asif Khan）は 2018年の韓国冬季五輪で漆黒のパビリオンを建設した。その鋭角の壁から成るベンタブラックの建物は、まるで催眠術をかけるように空間認識の常識を曲げてみせた。

ヒント

　ナノブラックが塗布された物体や細部はドラマチックな美的イリュージョンを生み出す。インスタレーションや体験型アート、サービスなどに最適。また熱を制御する機能があり、氷点下の表面にも使用できるなど、その応用範囲はまだかなり広く、現在も引き続き研究されている。

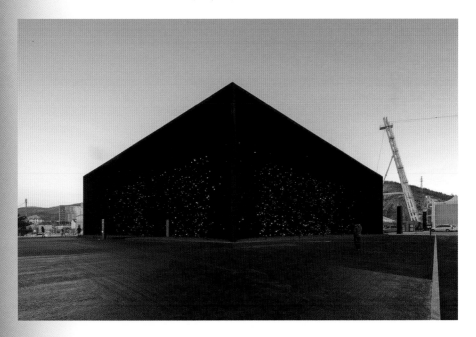

ブラウン Brown

　ブラウンには、どこか落ち着いていて地に足の着いた印象がある。養分に富んだ土壌が生命を育むように、土から生まれたブラウンは本質的に再生の力を持つ色だ。先史時代に描かれたアルタミラやラスコーの洞窟画には土顔料が使われていた。それと同じような顔料は今なお使われている。また、粘土や陶芸は基本的なコミュニケーション手段や装飾芸術のツールとして世界中の初期文明で使われていた。伝統的な作陶や天然粘土を使った創作の復興は、工芸文化の歴史的重要性や価値を物語っている。(p. 296「天目」を参照)。

　歴史上、布地の染色という点から見ると、ブラウンは鮮やかな色の染料に手が出せなかった貧しい人々に残された選択肢だった。また、フランシスコ会の修道士は清貧の証としてこの色を身に着けていた。古典ラテン語では「平民」つまり都市部の貧しい人々のことを「*pullati*」と呼んでいた。文字通りに解釈すると「暗い色の服を着た人々」を意味していた。かつて色がどれほど階級やアイデンティティを示していたかがよくわかる。

　スペクトルの定義からすると、ブラウンという色相はない。ブラウンに見えるのは、彩度の低いイエローやオレンジの波長が弱い光で眼に届いたときに知覚されるものだ。一方で、アートやデザインの世界では、ブラウンは必要不可欠な色だ。豊かな色みのバーントシェンナやローアンバーが存在しなければ、ドラマチックなキアロスクーロ(明暗法)も複雑な色調も絵画に生まれなかった。ヴァン・ダイクからロスコまで、ブラウンは歴代の画家たちにほかには類を見ないような魅惑的な深みや影の表現をもたらしている。

素朴で誠実な印象のブラウンは、最近では健全で環境に優しい色という非常に現代的なシンボル性を持つようになっている。ブラウンの紙袋や箱は、それを使うブランドや団体が環境保護に努めていることを示すのに役立つ（もちろん、必ずしも実際にはそうだとは限らないが……）。ブラウンが本来持っているナチュラルで柔らかな性質とともに、いわゆるアースカラーの価値がまた見直されている。自然な色はこの混沌とした世界のなかで私たちを支えてしっかりと地に足を付けさせてくれ、バラバラに散らばった物事を優しく落ち着かせてくれる。

ブラウンの章：

セピア Sepia

起源と歴史

　セピアは、イカ墨がつくり出すダークブラウンの顔料の色だ。この天然の色素は何千年も前からインクや水彩絵の具として使われてきた。セピア色の淡彩画（ウォッシュドローイング）は、18世紀から19世紀にかけて探検隊に同行する画家たちの間でとりわけ人気を博し、人類学的発見を記録するために使われた。また、ウィリアム・モリスによるテキスタイル・デザインの下絵に見られるように（右図参照）、美術家や工芸家もまずセピア色で淡く繊細な背景を描いてから、動きのある筆致で深い色を上に重ねていった。

　だが、現代においてセピア色が特に有名なのは初期の写真技術での使用だろう。19世紀、青写真をセピア色のインクで洗ったり浸けたりすることで、写真が光で劣化するのを防ぐと同時に、独特のブラウンになることが発見されたのだ。

現在

　イカ墨のインクはもうあまり使われていないが、現代でもセピア色の自然な風合いを好む人は多い。古い写真へのノスタルジーや珍しさからインスタグラムのフィルターで加工したり、暗室で化学薬品による処理をおこなったりして、あえてセピア調の色付けをすることがトレンドになっている。

ヒント

　柔らかく彩度を抑えた補色関係の2色を組み合わせて自然な豊かさを表現しよう。淡いセピアと洗いざらしのインディゴブルーは美しくも控えめなコントラストを生みだす。またセピアよりも濃いナッツブラウンを使って繊細な輪郭線を描いたりアクセントを加えたりすれば、大事なディテールに自然に目を向けさせることができる。

カラーコード
Hex値：#bf9f64
RGB：191, 159, 100
CMYK：24, 33, 64, 10
HSB：39°, 48%, 75%

イメージ
・ノスタルジック
・繊細、デリケート
・本物（オリジナル）

アート・デザイン・文化に見られるセピア
・写真《クリスタルパレスのトランセプト　Crystal Palace Transept》ベンジャミン・ブレックネル・ターナー　1852年頃
・リトグラフ・プリント《オーストラリアコウイカ／学名：セピアアパマ　Large Melbourne Sepia or Cuttlefish, Sepia Apama》ジョン・ジェームス・ワイルド　John James Wild 1889-90年頃

《マーメイドの織物の下絵 Cartoon for 'Mermaid' woven fabric》
エドワード・バーン＝ジョーンズ 1880年頃

ヴァン・ダイク・ブラウン
Van Dyke Brown

起源と歴史

　ロンドンの有名な画材店「L.コーネリッセン＆サン（L. Cornelissen & Son）」の棚に並ぶ有機顔料ヴァン・ダイク・ブラウンのボトルには、「あらゆる作品制作に不向き。油絵では乾きが悪く灰色に変色することもある」と記されている。絵画史の中でかつて最もドラマチックで深みのある影を作り出していた色の宣伝文句としては、あまり魅力的とはいえない書かれぶりだ。

　ヴァン・ダイク・ブラウンは、煤のような色（スートブラック）と泥炭のような色との間にある陰鬱な色で、原料は自然の土である。フランドル出身のバロック期の画家アンソニー・ヴァン・ダイクがチャールズ1世を描くときなどに愛用した色で、油に掘りたての土、褐炭（褐色の腐植土質の石炭）、カッセルアースなどの黄土を混ぜてつくったものだ。ヴァン・ダイクの作品にはわざと色をくすませたような演劇的な演出が見られがちだが、それは色あせしやすい顔料を使用した結果だということが現代の私たちにはわかる。

現在

　天然の土に由来する顔料はどれも性質が変化しやすい。ヴァン・ダイク・ブラウンも紫外線にさらされるとグレイになってしまうという特徴があった。この色は現在もチューブ入りの画材として購入できるが、より安定した組成に改良されている。陰影のあるブラウンは、色というものが私たちの足元にある大地から得られることを思い出させてくれる。

ヒント

　ヴァン・ダイク・ブラウンの自然な持ち味にあやかり、自分が暮らしている地域に見られる自然を参考にした配色を考えてみよう。素朴なニュアンスに、レッドアースやペールグレイでアクセントを加えると相性が良く、生命や自然環境の長い歴史を物語る、信頼感のあるコントラストがつくりだせる。

カラーコード
Hex値：#28171a
RGB：40, 23, 46
CMYK：63, 75, 57, 82
HSB：349°, 43%, 16%

別名
・カッセルアース（Cassel Earth）
・ケルン・アンバー
　（Cologne Umber）

イメージ
・哀愁
・保守的
・本物

アート・デザイン・文化に
見られるヴァン・ダイク・ブラウン
・絵画《マルケサ・ジェロニマ・
　スピノラ Marchesa
　Geronima Spinola》
　アンソニー・ヴァン・ダイク
　1624年頃
・リサーチプロジェクト「De
　Straat Makers：都市の色」
　アトリエNL AtelierNL
　2019年

《チャールズ1世騎馬像》アンソニー・ヴァン・ダイク　1637-8年

アンバー Umber

起源と歴史

　天然土のアンバーは人類が最も古くから使っていた顔料のひとつだ。二酸化マンガンと酸化鉄を含む土で、それを顔料として用いた強い色は、スペインのアルタミラにある旧石器時代の洞窟画にも見ることができる。後世ではレンブラントがアンバーオーカーにランプブラックを重ね、ぼかし、塗り直すという技法でチョコレート色を表現したことが知られている。

　色彩理論や色彩用語が発達するにつれ、アンバーは「イエロー・ブラウンを基調とする暖色系のクロマティック・ダーク*」と解釈されるようになった。バウハウスの芸術家で教師でもあったパウル・クレーが1923年に発表した絵画《静的─動的グラデーション Static-Dynamic Gradation》を見てみよう（右図）。外側の最も暗いクロマティック・ダークから内側に向かうにつれて徐々に明度が上がり、最も明るい中心部へと視線を導く。外側の暗い四角形に濃いアンバーが使われ、中心部にはクールなブルーとホットなオレンジが対照的に配置されている。クレーはこうした構図で色と色との相互関係を表現しようとした。

現在

　アンバーはニュートラルな補助色で、高彩度の色をいっそう輝かせることができる。そのため、抽象表現主義のマーク・ロスコから現代画家のピーター・ドイグまで、幅広い芸術家の作品に登場する。実際、マーク・ロスコは1970年に「テート・モダン」のマーク・ロスコ・ルームに絵を掛ける際、展示室の壁の理想的な色として「オフホワイトにアンバーを加え、少し赤みを足して暖かみを出す」ことを要望したという**。

ヒント

　クレーの原則を参考に、暖色系の色調を使って明度や彩度の度合いを調整しながら視線を誘導するようなデザインを試してみよう。コントラストやハイライトを加えたい場合はソフトでクールなブルーをアクセントに。

カラーコード
Hex値：#534024
RGB：83, 64, 36
CMYK：49, 57, 80, 59
HSB：36°, 56%, 33%

イメージ
・時代を超えた
・地味な
・支える

アート・デザイン・文化に見られるアンバー
・絵画《夜警》レンブラント
　1642年
・絵画《無題（アンバー、ブルー、アンバー、ブラウン）Untitled (Umber, Blue, Umber, Brown)》
　マーク・ロスコ 1962年
・絵画《モルガ Moruga》
　ピーター・ドイグ
　2002–08年

*訳注：クロマティック・ダーク　黒を使わずに異なる色相を混ぜて暗さを表現すること p.46参照

** 『Tate Etc.』7号「ミステリーの殿堂：マーク・ロスコ」よりジョン・バンヴィルのコメント 2006年5月1日（https://www.tate.org.uk/tate-etc/issue-7-summer-2006）

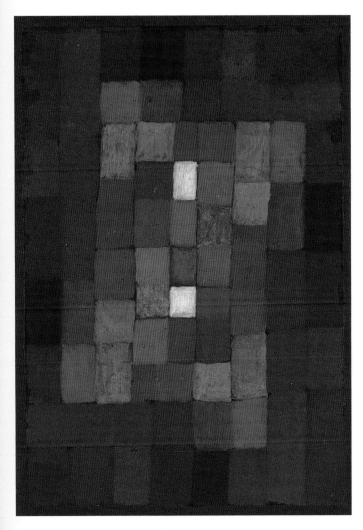

《静的―動的グラデーション　Static-Dynamic Gradation》パウル・クレー　1923年

天目 Tenmoku

起源と歴史

　「天目茶碗」は古くは中国浙江省の天目山（Mount Tianmu）にある仏教寺院で用いられていた陶器の芸術品である。主に植物由来の灰やカリウム、酸化鉄などの鉄分を多く含む黒釉をかけて仕上げた茶碗を指す。日本の禅僧たちがこの山を巡礼して茶道を学び、その技術を持ち帰った*。

　伝統的に、天目茶碗には暖かみのある黒い釉薬が使われるが、そこに大きな特徴を加えるのが釉薬の途切れた箇所や表面に斑点状に生じる見事な錆色である。ひとつひとつ表情の異なる器には手仕事ならではの自然な美しさと唯一無二の個性が存在する。

現在

　昔ながらの天目茶碗の復興を目指す動きはあるもの、歴史的な工程をそのまま再現できる職人は極めて少ないのが現状だ。その貴重な一人が現代日本の陶芸家、林恭助である。深く引き込まれるような魅力を持つ林の作品は世界中のギャラリーに展示されていて、古来の伝統が今なお人々の心に訴えかけていることがわかる。

ヒント

　伝統的な天目の釉薬からインスピレーションをもらおう。焦げた樹皮の色やぬくもりのあるチョコレートブラウンを取り入れて豊かさを感じるインテリア空間を演出しよう。

カラーコード

Hex値：#341601
RGB：52, 22, 1
CMYK：54, 76, 78, 80
HSB：25°, 98%, 20%

別名

・兎毫盞／うさぎの毛皮
　（Hare' s Fur）

イメージ

・個性的
・時を超えた
・珍重

アート・デザイン・文化に見られる天目

・陶芸《側面の平らなボトル
　Flat-Sided Bottle》
　バーナード・リーチ　1957年
・陶芸《曜変天目茶碗》
　林恭介　2001年
・陶芸《銀河 Galaxy》
　近藤高弘　2001年

*訳注：「天目茶碗」は日本独自の呼称。天目山で使われていた茶碗ということでそう呼び習わすようになったが、起源は中国の福建省にある。

《天目茶碗》宋代　中国　10-13世紀

バーントシェンナ Burnt Sienna

起源と歴史

　ローシェンナ（raw sienna／そのままのシェンナの意味）は天然の黄土色、つまり大地の色のひとつだ。バーントシェンナ（burnt siennna／焼いたシェンナの意味）は、その天然の黄土に含まれる酸化鉄がヘマタイト（赤鉄鉱）に変化するまで熱した色、すなわち、より暖かな赤みの強いブラウンになっている。ルネサンス期にイタリアのトスカーナ地方の都市シエナで大量に生産されていたことからこの名前がつけられた。カラヴァッジョやレンブラントらヨーロッパの芸術家たちはバーントシェンナを薄めて穏やかなピンクやブラウンの基調色を引き出し、淡い色付けに使用していた。その後、20世紀のアーティスト、ピエール・スーラージュやハワード・ホジキンは、エネルギッシュな抽象画にこの色を使った。彼らはバーントシェンナに備わる根源的な大地の印象に対して、クロムグリーンのような鮮やかな化学合成色を組み合わせてコントラストを強調してみせた。

現在

　20世紀末にはトスカーナの鉱山で黄土がほぼ掘り尽くされてしまったため、化学的につくられた酸化鉄が流通し始めた。しかし、現代のアーティストたちは、再び伝統的な方法でこの色を作ろうとしている。コロンビアのデザイナーでアーティストのローラ・ダザ（Laura Daza）は、地元の土壌を使ってシェンナの色を再現し、イエローからレッドブラウンまでの幅広い色調を生みだしている。

ヒント

　この豊かで自然なブラウンレッドは、ナチュラル志向のブランドや企業のイメージづくりにぴったりだろう。イエローオーカー（黄土色）に少量のリーフグリーンをアクセントにすれば、自然界にある風景を想起させるようなぬくもりのある色彩調和が生まれる。

カラーコード

Hex値：#8d3715
RGB：141, 55, 21
CMYK：29, 83, 99, 32
HSB：17°, 85%, 55%

イメージ

・土のような
・自然な
・変化しやすい

アート・デザイン・文化に
見られるバーントシェンナ

・絵画《イサクの犠牲》
　カラヴァッジョ 1602年
・絵画《36》ピエール・スーラージュ 1965年
・絵画《ベッドに横たわる2人と案内人たち Two Figures Lying on a Bed with Attendants》
　フランシス・ベーコン 1968年

「バーントシェンナ・コレクション the Burnt Sienna collection」ローラ・ダザ 2015年

トープ Taupe

起源と歴史

　トープはなかなか定義しづらい色で、その名前はフランス語で「モグラ」を意味する。歴史的には茶色がかったネズミ色の色調を指すことが多く、ときにはくすんだパープルや赤みのブラウンを指すこともあった。20世紀初頭、この色は洗練されたニュートラル感を連想させるようになり、室内装飾や服飾品に取り入れられるようになった。「アーツ・アンド・クラフツ運動」の影響を受け、当時のインテリアデザインの配色は、ブルー、グリーン、トープブラウン、柔らかなホワイトなどの落ち着いた色調で構成されていた。トープは1970年代にも再流行し、バーントオレンジやハーベスト・ゴールドとともに、健全さを感じさせる色みとしてキッチン用品から合成樹脂のチェアまであらゆるものに使われた。

現在

　2000年代には再び、落ち着きのあるトープの人気が復活した。居心地の良さや安心感が重視される現代社会において、柔らかい印象のトープはインテリアやファッションの分野で欠かせない。色彩心理学的に見ても、この色の落ち着きをもたらす効果と彩度を抑えたニュートラルさは、目に優しいだけでなく心にも安らぎを与えてくれる。

ヒント

　クレイ（粘土色）、控えめなアボカド色、ソイル・ブラウン（土のような茶色）、サンド（砂のような色）といった自然を連想させるニュートラルな色と合わせたい。

カラーコード
Hex値：#a59089
RGB：165, 144, 137
CMYK：35, 39, 39, 12
HSB：16°, 17%, 65%

イメージ
・控えめな
・安らぎ
・育む

アート・デザイン・文化に
見られるトープ
・建築《ロビー邸》フランク・ロイド・ライト　1909-10年
・絵画《静物》ジョルジョ・モランディ　1960年
・ファッション《2017年春夏メンズウェア・コレクション》リック・オウエンス　2017年

《砂漠の雨 Desert Rain》アグネス・マーティン 1957年

カーキ Khaki

起源と歴史

　「カーキ」という名は、ウルドゥー語で「土、灰、土ぼこり」を意味する言葉に由来する。英語の「カーキ」が表す黄褐色のファブリック（布地）はイギリス軍が敵から身を隠すために使用したカモフラージュ用の軍服が始まりで、19世紀にインド北西部の駐留地でハリー・バーネット・ラムズデン卿が兵士らに初めて支給した。その色を出すために使われたのは、インドで昔からキャラコ生地（平織の綿布）の着色に使われていたペグノキ（Senegalia catechu）の樹皮から抽出したカッチと呼ばれる染料だった。

　第一次世界大戦中、カーキ色の布地の製造規模は、新規入隊者用の軍服の需要に応じて拡大していった。その色合いは各染料メーカーが使用した染色槽の違いにより、しだいに砂っぽいサンドカラーが薄れてオリーブに近くなった。1917年までには塹壕から約4500万点もの布地が回収された。この大量回収を経て、カーキの衣類は分解され、織り直されたり裁断し直されたりして、再配布された。

現在

　20世紀後半、カーキ色の衣類は実用的なカジュアルウェアとしてありふれたアイテムになったが、同時に「反抗」を示すファッションでもあり、スキンヘッドにカーキのアーミーパンツをはきこなすのがイギリスの若者文化の象徴となった。イギリスのファッション・デザイナー、ステラ・マッカートニーは1995年の「セントラル・セント・マーチンズ」＊の卒業制作ファッションショーでカーキを取り入れ一躍脚光を浴びた。そのショーでは、モデルのケイト・モスがグリーンのキャミソールドレスにピンクのストッキング、カーキ色のアーミーハットを身につけて登場し、カーキ色をただの制服からファッションアイテムへと昇華させたのだ（右図参照）。

ヒント

　カーキにほかの暖色や寒色のニュートラルカラーを組み合わせれば、自然環境を身近に感じさせるモダンな配色になる。アクティブなアウトドアブランドに最適。

カラーコード
Hex値：#857856
RGB：133, 120, 86
CMYK：43, 40, 64, 27
HSB：43°, 35%, 52%

イメージ
・実用的
・救出された
・反抗的

アート・デザイン・文化に見られるカーキ
・絵画《別れの電車の到着、ヴィクトリア駅 The Arrival of a Leave Train, Victoria Station》バーナード・メニンスキー　1918年
・ファッション「サバイバルジャケット」フランコ・モスキーノ 1991年春夏

＊訳注：正式名は「セントラル・セント・マーチンズ・カレッジ・オブ・アート・アンド・デザイン（Central Saint Martins Collage of Art and Design）」。ロンドン芸術大学の中のカレッジのひとつで、著名なデザイナーを輩出している大学。

ステラ・マッカートニー 卒業制作ショー ランウェイのケイト・モス 1995年

カードボード（ダンボール） Cardboard

起源と歴史

　暖かみのある黄褐色のカードボード（ダンボール）は、タン、ビスケット、キャメルといった、ほかのブラウン系のニュートラルカラーと似た色合いを持つ。ただし、ほかの色の叙情的な名前とは違い、カードボードといえば真っ先に思い浮かぶのはどこにでもある便利な素材であり、それがたまたまこの特徴的な色をしているという点だ。現在、ほとんどの工業用カードボードは、管理された森林から伐採した木材かリサイクルした木材パルプから製造されているので、その見た目は自然で有機的だ。

　安価で入手しやすいカードボードは現代のクリエイターたちがよく活用する素材だ。1919年、ドイツ人アーティストのクルト・シュヴィッタース（Kurt Schwitters）は、捨てられたゴミやカードボードで制作したコラージュ作品を「メルツ絵画（Merz art）」として発表した。ダダイズムの「ダダ」同様、特別な意味のないナンセンスな名前だ。20世紀も後半に入ると、カナダ出身のアメリカ人建築家でデザイナーでもあるフランク・O・ゲーリー（Frank O. Gehry）がカードボードの波打つ形状にインスピレーションを得て、代表作「ウィグル・サイド・チェア（Wiggle Side Chair）」をはじめとするカードボード製の家具を製作した。1960年代に多く製造されたトラディショナルで重厚な家具に代わる安価で軽量な家具だ。

現在

　マーケティングの観点では、カードボードのブラウンはエコフレンドリーの証しとなる。このベーシックな色で消費者に届く箱や製品は、余分なものをそぎ落とした美学と、廃棄物を出さない姿勢を示す。ところが実際には、アメリカだけでも毎年8億5000万トンの紙とダンボールが廃棄されている。これは10億本近くの木に相当する量だ。

ヒント

　カードボード・ブラウンのシンプルでわかりやすい特性を生かそう。印刷物では、イエローオーカーにティールブルーのぱっと目を引くコントラストを用いて、カードボードという素材の自然な色をうまく表現すると良い。

カラーコード
Hex値：#d7a77c
RGB：215, 167, 124
CMYK：15, 37, 53, 4
HSB：28°, 42%, 84%

イメージ
・ベーシック
・ニュートラル
・質素

アート・デザイン・文化に見られるカードボード
・アッサンブラージュ《空間の広がりの絵―2頭の犬の絵 Picture of Spatial Growths – Picture with Two Small Dogs》クルト・シュヴィッタース 1920-39年
・彫刻《ケーキ・リフト Cake Lift》マイケル・ヨハンソン 2009年
・家具《カードボード・スツール》ルイーザ・カールフェルド 2016年

《ウィグル・サイド・チェア》ヴィトラ社 1998年
（オリジナルデザイン：フランク・O・ゲーリー 1970年頃）

メラニン Melanin

起源と歴史

　メラニンは世界最古のパワフルな色のひとつだ。この天然色素によって、さまざまな動物の毛皮や鳥の羽、人間の肌色がつくり出されており、恐竜や、それよりも前の原始的な生物の化石からも発見されている。また、肌にシミやそばかすができるのは、肌を紫外線のダメージから守るために局地的にメラニンの生成量が増えるためだ。

　私たちの祖先がまだ毛皮に覆われていた頃、その下にある肌は青白かっただろうと現在では考えられている。初期のホモ・サピエンスは体温調節機能が高度に発達し、赤道直下の地域では体毛が抜け落ちると太陽光線から身を守るためにメラニン濃度の高い褐色の肌を持つようになった。その後、日照時間の少ない地域に移住したグループの子孫は、次第に肌の色が白くなっていった。骨を丈夫で健康な状態に維持するためにはある程度の紫外線を吸収し、体内でビタミンDをつくらなければならなかったからだ。

現在

　マサチューセッツ工科大学（MIT）のプロジェクトチーム「Mediated Matter Group（メディエイテッド・マター・グループ／問題解決グループ）」は、メラニンをデザインや建築の素材として利用する研究に取り組んでいる。鳥の羽から抽出したメラニンをもとに、最新の実験技術で新たなメラニン色素を合成し、それを大量に複製できるようにしたのだ。これを利用すれば、建築用ガラスなどの素材に日焼け防止機能を加えることができる。こうして、太陽光が当たるとメラニン色素が反応して自然に色が暗くなる環境応答特性を持つガラス構造が出来上がった。

カラーコード
Hex値：#996e43
RGB：153, 110, 67
CMYK：30, 50, 73, 27
HSB：30°, 56%, 60%

イメージ
・自然
・革新的
・パワフル

右：《トーテム Totems》
ネリ・オックスマン & Mediated
Matter Group 2019年

ヒント

　太陽光に反応するメラニンはデザイン界に新たな可能性をもたらしてくれる。メラニンやクロロフィル（葉緑素）に代表されるパワフルな天然色素が示す未来は、色というものを単に美学や象徴の範疇でとらえるのではなく、その特別な機能を取り入れた革新的な使い方をする社会だ。

序文

Albers, Josef *The Interaction of Color: 50th Anniversary Edition*, New Haven and London: Yale University Press, 2013 (1963)『配色の設計―色の知覚と相互作用』ジョセフ・アルバース (著)、永原康史 (監訳)、和田美樹 (訳)、ビー・エヌ・エヌ新社、2016年

Cheung, Vien, Mahyar, Forough, Westland, Stephen, 'Complementary Colour Harmony in Different Colour Spaces', *International Colour Association (AIC) Conference*, July 2013 *https://www.researchgate.net/publication/263334546* (accessed October 2020)

Chu, Alice and Rahman, Osmud, 'What Color is Sustainable? Examining the Eco-friendliness of Color', *International Foundation of Fashion Technology Institutes Conference*, March 2010 *https://www.researchgate.net/publication/332401739_What_color_is_sustainable_Examining_the_eco-friendliness_of_color* (accessed October 2020)

Eastlake, Charles L., ' *The Theory of Colours by Johann Wolfgang von Goethe*' (イタ), first published 1810

Franklin, Anna, 'Origins of Color Preference – Prof. Anna Franklin, Ph.D.', *Internationalen Konferenz Farbe im Kopf, Universität Tübingen*,September 2016 *https://www.youtube.com/watch?v=XM3eZDg6xwg* (accessed January 2021)

Haller, Karen, *The Little Book of Colour*, London: Penguin, 2019

Harrison, Sara, 'A New Study About Color Tries to Decode 'The Brain's

Pantone', *Wired*, 24 November 2020 *https://www.wired.com/story/a-new-study-about-color-tries-to-decode-the-brains-pantone*(accessed 10 December 2020)

Itten, Johannes, *The Art of Color: The Subjective Experience and Objective Rationale of Color*, New York: John Wiley & Sons, 2001 (1961)『色彩の芸術―色彩の主観的経験と客観的原理』ヨハネス・イッテン (著)、大智浩、手塚又四郎 (訳)、美術出版社、1964年

Jongerius, Hella, ' *I Don't Have a Favorite Colour*' (イタ), Berlin: Gestalten, 2006

Loske, Alexandra, *Colour: A Visual History*, London: Ilex, 2017

Klee, Paul, 'On Modern Art' [lecture], Kunstverein, Jena, 26 January 1924, trans. Paul Findlay in *Paul Klee: On Modern Art*, London: Faber & Faber, 1948

Street, Ben, *Art Unfolded: A History of Art in Four Colours*, London: Ilex, 2018

Wohlfarth, Harry and Sam, Catherine, 'The Effect of Color Psychodynamic Environmental Modification upon Psychophysiological and Behavioral Reactions of Severely Handicapped children', *The International Journal of Biosocial Research*, Vol.3, No.1, 1982

Wright, Angela, *Beginner's guide to Colour Psychology*, London: Colour Affects, 1998

レッド

Amar, Zohar, Gottlieb, Hugo, Luz, David and Varshavsky, Lucy, 'The Scarlet Dye of the Holy Land',

BioScience, Volume 55, Issue 12, December 2005 *https://academic.oup.com/bioscience/article/55/12/1080/407161* (accessed July 2020)

Coles, David, *Chromatopia: An Illustrated History of Colour*, London: Thames & Hudson, 2018『クロマトピア―色の世界―写真で巡る色彩と』、デヴィッド・コールズ (著)、井原 恵子 (訳)、グラフィック社、2020年

Geeraert, Amélie, 'Traditional Meanings of Colors in Japanese Culture', Kokoro, 15 June 2020 *https://kokoro-jp.com/culture/298* (accessed 1 August 2020)

'In Search of Forgotten Colours: Sachio Yoshioka and the Art of Natural Dyeing', Victoria & Albert Museum, 6 June 2018 *https://www.youtube.com/watch?v=7OiG-WjbCQA* (accessed August 2020)

Isean Honten, 'Beni: A Special Red Color Extracted from Safflower' *https://www.isehanhonten.co.jp/en/about* (accessed October 2020) (参考) 伊勢半本店 Web サイト「紅花から抽出される特別な赤―紅」https://www.isehanhonten.co.jp/beni/

Kaukas-Havenhand, Lucinda, *Mid-Century Modern Interiors: The Ideas that Shaped Interior Design in America*, London: Bloomsbury, 2019

Larking, Matthew, 'Genta Ishizuka: Beneath and On the Surface', Japan Times, 13 August 2019 *https://www.japantimes.co.jp/culture/2019/08/13/arts/genta-ishizuka-beneath-surface* (accessed August 2020)

Liles, J.N, 'The Art and Craft of Natural Dyeing, Knoxville: University of Tennessee Press, 1990

Nelson, Kate Megan, 'A Brief History of the Stoplight' , *Smithsonian*, May 2018 *https://www.smithsonianmag.com/ innovation/brief-history- stoplight-180968734* (accessed September 2020)

Oxford Psychology Team, 'Seeing Red at the Olympics' , *Oxford Education Blog*, 1 September 2016 *https://educationblog.oup.com/ secondary/psychology/seeingred-at- the-olympics* (accessed August 2020)

Pastoureau, Michel, *Red: The History of a Color*, Princeton:Princeton University Press, 2016『赤の歴史文化図鑑』ミシェル・パストゥロー（著）、蔵持不三也（訳）、城谷民世（訳）、原書房、2018年

Phipps, Elena, *Cochineal Red:The Art History of a Color*, New York: Metropolitan Museum of Art/Yale University Press, 2010

Spindler, Ellen, 'The Story of Cinnabar and Vermilion (HgS) at The Met' , Met Museum, 28 February 2018 *https://www.metmuseum.org/blogs/ collection-insights/2018/cinnabar- vermilion* (accessed July 2020)

Travis, Anthony S, 'Madder Red: A Revolutionary Colour' , Chemistry & Industry, via Colorant History, 3 January 1994 *http://www.colorantshistory.org/ MadderRed.html* (accessed November 2020)

Viegas, Jen, 'Why is the Colour Red so Powerful' , *Seeker*, 2015 *https://www.seeker.com/why-isthe- color-red-so-powerful- photos-1769836764.html* (accessed August 2020)

Wininger, Aaron, 'China' s Supreme

Court Rules in Favor of Christian Louboutin' s Red Sole Trademark' , *The National Law Review*, 18 February 2020 *https://www.natlawreview.com/ article/china-s-supreme-courtrules- favor-christianlouboutins-red-sole- trademark* (accessedJanuary 2021)

オレンジ

Atelier Editions (Ed.), *An Atlas of Rare and Familiar Colour: The Harvard Art Museums' Forbes Pigment Collection*, Los Angeles: Atelier Editions, 2019

Baker, Logan, 'Manipulating the Audience' s Emotions with Color' , *Premium Beat*, 2 August 2016 *https://www.premiumbeat.com/blog/ manipulate-emotions-with-color-in- film* (accessed October 2020)

Blumberg, Jess, 'A Brief History of the Amber Room' , *Smithsonian*, 31 July 2007 *https://www.smithsonianmag.com/ history/a-brief-history-of-theamber- room-160940121* (accessed October 2020)

Chapman, John and Gaydarska, Bisserka, 'The Aesthetics of Colour and Brilliance' , *Geoarchaeology and Archaeomineralogy Conference*, 2008 *http://citeseerx.ist.psu.edu/viewdoc/ download?- doi=10.1.1.548.8669&rep=rep1&- type=pdf* (accessed October 2020)

Coles, David, *Chromatopia: An Illustrated History of Colour*, London: Thames & Hudson, 2018、『クロマトピア―色の世界―写真で巡る色彩と顔料の歴史』、デヴィッド・コールズ（著）、井原恵子（訳）、グラフィック社、2020年

'Conservators Struggle to Preserve True Original Colors of China' s Terracotta Warriors' , *Southern Weekly – Global Times*, 10 October 2017 *https://www.globaltimes.cn/ content/1069632.shtml* (accessed October 2020)

'Japanese Traditional Colors' , Kidoraku Japan *http://kidorakujapan.com/know/ others_color.html*(accessed October 2020)

Maerz, Aloys John and M. Rea, *A Dictionary of Color* , New York: McGraw-Hill, 1930

'Orange Light Helps Thinking' *Science Learning Hub*, 10 March 2014 *https://www.sciencelearn.org.nz/ resources/2290-orange-light- helpsthinking* (accessed October 2020)

Salamone, Lorenzo, 'The History of the Most Iconic Color of Luxury' *NSS Magazine*, 7 June 2020 *https://www.nssmag.com/en/ fashion/22580/hermes-packaging- orange*(accessed October 2020)

Schüler, C. J, *Along the Amber Route: From St. Petersburg to Venice*, Inverness: Sandstone Press, 2020

Yates, Julian, 'Orange' in *Prismatic Ecology: Ecotheory Beyond Green*, ed. Jeffery Jerome Cohen, Minneapolis, University of Minnesota Press, 2013

イエロー

Atelier Éditions (Ed.), *An Atlas of Rare and Familiar Colour: The Harvard Art Museums' Forbes Pigment Collection*, Los Angeles: Atelier Éditions, 2019

Ball, Philip, *Bright Earth*, Kindle Edition: Vintage Digital, August 2012

Chatterjee, Meeta, 'Khadi: The Fabric of the Nation in Raja Rao' s Kanthapura' , *New Literatures Review*, Issue 36, June 2000

Griffith, Ralph T. H. (trans.), *The Rig Veda*, Santa Cruz: Evinity Publishing, March 2009、『リグ・ヴェーダ讃歌』辻直四郎（訳）、岩波書店、1970年

310

Han, Jing, 'Imperial Yellow: A Costume Colour at the Top of the Social Hierarchy', *The Asia Dialogue*, 22 July 2015 *https://theasiadialogue. com/2015/07/22/imperial-yellow-a-costume-colour-at-the-top-of-the-social-hierarchy* (accessed September 2020)

Harley, Rosamond D., *Artists' Pigments c.1600-1835*, London: Butterworth & Co., 1970

Hulsey, John and Trusty, Ann, 'Turner's Mysterious Yellow', *Artists Network https://www.artistsnetwork.com/ art-subjects/plein-air/turners-mysterious-yellow* (accessed September 2020)

Indian Yellow', *Bulletin of Miscellaneous Information (Royal Botanic Gardens, Kew)*, No. 39, 1890 *www.jstor.org/stable/4111404* (accessed September 2020)

Maerz, Aloys John and M. Rea *A Dictionary of Color*', New York: McGraw-Hill, 1930

Potts, Lauren and Rimmer, Monica, 'The Canary Girls: The Workers the War Turned Yellow', *BBC News*, 20 May 2017 *https://www.bbc.co.uk/news/ uk-england-39434504* (accessed September 2020)

Prance, Ghillean T. and Nesbitt, Mark, *The Cultural History of Plants*, New York: Routledge, 2005

Ravenscroft, Tom, 'Grey Brick and Yellow Polycarbonate Contrast to Create Striking Peckham Primary School', *Dezeen*, 27 July 2020 *https://www.dezeen.com/2020/07/27/ bellenden-primary-school-peckham-cottrell-vermeulen-architecture*(accessed September 2020)

St Clair, Kassia, *The Secret Lives of Colour*, London: John Murray, 2016

Thorpe, Harriet, 'This Year's Dulwich Pavilion is Inspired by Nigerian Fabric Markets', *Wallpaper**, 3 June 2019 *https://www.wallpaper.com/ architecture/dulwich-pavilion-2019-pricegore-yinka-ilori-london*(accessed September 2020)

Welbourne, Lauren, 'Human Colour Perception Changes Between Seasons', *Current Biology*, Volume 25, Issue 15, 3 August 2015 *https://www.cell.com/current-biology/ fulltext/S0960-9822(15)00724-1* (accessed September 2020)

Whybrow, Kayleigh, 'Influencing Learning with the Psychology of Colour', *Building 4 Education*, 26 August 2017 *https://b4ed.com/Article/influencing-learning-with-the-psychology-of-colour* (accessed September 2020)

Wilkinson, Tom, 'Gilt Complex: Buildings that Glitter', *Architectural Review*, 3 September 2019 *https://www.architectural-review. com/essays/gilt-complex-buildings-that-glitter* (accessed October 2020)

グリーン

Ball, Philip, *'Bright Earth'*, Kindle Edition: Vintage Digital, August 2012

Barton, Chris, *The Day-Glo Brothers*, Watertown: Charlesbridge Publishing, 2009

Becker, Doreen, *Color Trends and Selection for Product Design*, Norwich: William Andrew, 2016

Berry, Jennifer, 'What Are the Benefits of Chlorophyll?', *Medical News Today*, 4 July 2018 *https://www.medicalnewstoday.com/ articles/322361* (accessed September 2020)

Coles, David, *Chromatopia: An Illustrated History of Colour*, London: Thames & Hudson, 2018、『クロマトピア―色の世界―写真で巡る色彩と』、デヴィッド・コールズ（著）、井原恵子（訳）、グラフィック社、2020 年

Ferro, Shaunacy, 'This Is the Most Visible Color in the World', *Mental Floss*, 10 May 2017 *https://www.mentalfloss.com/ article/500751/most-visible-colorworld* (accessed July 2020)

Finlay, Victoria, *Color: A Natural History of the Palette*, New York: Ballantine, 2002

Gerritsen, Anne and Riello, Giorgio, *The Global Lives of Things: The Material Culture of Connections in the Early Modern World*, New York: Routledge, 2015

Higham, James P., 'All the Colors That Human Vision Neglects', *The Atlantic*, 7 February 2018 *https://www.theatlantic.com/science/ archive/2018/02/seeing-red/552473* (accessed September 2020)

Lee, David, *Nature's Palette: The Science of Plant Color*, Chicago: University of Chicago Press, 2010

'Life Seacolors: Demonstration of New Natural Dyes from Algae as Substitution of Synthetic Dyes Actually Used by Textile Industries', *European Union Life Projects*, Third Newsletter, 1 July 2016 *https://ec.europa.eu/environment/life/ project/Projects/index. cfm?fuseaction=search.dsp-Page&n_ proj_id=5017* (accessed September 2020)

Maerz, Aloys John and M. Rea, *A Dictionary of Color*', New York: McGraw-Hill, 1930

Nierenberg, Cari 'A Green Scene Sparks our Creativity', *NBC News*, 28 March 2012 https://www.nbcnews.com/health/ body-odd/green-scene-sparks-ourcreativity-flna578364 (accessed July 2020)

Oakley, Howard, 'Pigment: The unusual green of Malachite' , *The Eclectic Light Company*, 1 June 2018 https://eclecticlight.co/2018/06/01/ pigment-the-unusual-green-of-malachite (accessed July 2020)

Pastoureau, Michel, *Green: The History of a Color*, Princeton: Princeton University Press, 2014

Pritchard, Emma-Louise, 'The Real Reason Wine and Beer Bottles are Only Ever Brown or Green', *Country Living, March 9, 2017* https://www.countryliving.com/uk/ create/food-and-drink/news/a1465/ reason-wine-beer-bottlesbrown-green (accessed July 2020)

'Textile Produced from Algae' , *Sustainable Fashion*, 2 April 2020 https://www.sustainablefashion.earth/ type/recycling/textile-produced-from-algae(accessed September 2020)

'Urban Algae Folly' , ecoLogicStudio at Expo Milan 2015, 23 May 2015 https://www.youtube.com/ watch?v=os2ZznTTIYA (accessed September 2020)

Ziegler, Chris, 'Toyota' s Weird, Bright Green Prius Uses Science to Stay Cooler in the Sun' , *The Verge*, 12 February 2016 https://www.theverge. com/2016/2/12/10979166/ toyotathermo-tect-lime-green-prius-sunheat (accessed August 2020)

ブルー

Ball, Philip, '*Bright Earth*' , Kindle Edition: Vintage Digital, August 2012

'Blue Light Has a Dark Side' , *Harvard Health Publishing*, May 2012; updated 7 July 2020

https://www.health.harvard.edu/ staying-healthy/blue-light-has-a-dark-side (accessed August 2020)

Brown, D., Barton, J. & Gladwell, V., 'Viewing Nature Scenes Positively Affects Recovery of Autonomic Function Following Acute-Mental Stress' , *Environmental Science & Technology*, 4 June 2013 https://www.ncbi.nlm.nih.gov/pmc/ articles/PMC3699874 (accessed February and June 2020)

Cascone, Sarah, 'The Chemist Who Discovered the World' s Newest Blue Explains Its Miraculous Properties' , *Artnetnews*, 20 June 2016 https://news.artnet.com/art-world/ yinmn-blue-to-be-sold-commercially-520433(accessed February 2020)

Cifuentes, Beatriz and Vignelli, Massimo, *Design: Vignelli: Graphics, Packaging, Architecture, Interiors, Furniture, Products*, New York: Rizzoli International Publications, 2018

Coles, David, *Chromatopia: An Illustrated History of Colour*, London: Thames & Hudson, 2018、『クロマトピ ア―色の世界―写真で巡る色彩と』、デ ヴィッド・コールズ（著）、井原 恵子（訳）、 グラフィック社、2020年

Geldof, Muriel and Steyn, Lise, 'Van Gogh' s Cobalt Blue: Van Gogh' s Studio Practice' , *Mercatorfonds*, July 2013 https://www.researchgate.net/ publication/304626297_Van_Gogh's_ Cobalt_Blue(accessed July 2020)

Koddenberg, Matthias, *Yves Klein: In/Out Studio*, Dortmund: Verlag Kettler, 2016

Loske, Alexandra, *Colour: A Visual History*, London: Ilex, 2017

Maerz, Aloys John and M. Rea, *A Dictionary of Color* , New York: McGraw-Hill, 1930

McCouat, Philip, 'Prussian Blue and Its Partner in Crime' , *Journal of Art in Society*, 2014 http://www.artinsociety.com/ prussian-blue-and-its-partner-incrime.html (accessed July 2020)

McKinley, Catherine, *Indigo*, London: Bloomsbury, 2011

Meier, Allison, 'Lapis Lazuli: A Blue More Precious than Gold' , *Hyperallergic*, 5 August 2016 https://hyperallergic.com/315564/ lapis-lazuli-a-blue-more-preciousthan-gold(accessed February 2020)

Morris, William, T*he Collected Letters of William Morris, Volume I: 1848-1880*, ed. Norman Kelvin, Princeton: Princeton University Press, 2014

Pappas, Stephanie, 'Oldest Indigo-Dyed Fabric Ever Is Discovered in Peru' , *Live Science*, 14 September 2016 https://www.livescience.com/56099-oldest-indigo-dyed-fabric-discovered-peru.html(accessed March 2020)

Penrose, Nancy L., 'Curious Blue' , *Hand and Eye Magazine*, 19 September 2012 http://handeyemagazine.com/content/ curious-blue (accessed February 2020)

Roy, Ashok, 'Monet' s Palette in the Twentieth Century: "Water-Lilies" and "Irises"' , *The National Gallery Technical Bulletin*, Volume 28, 2007 https://www.nationalgallery.org.uk/ upload/pdf/roy2007.pdf (accessed March 2020)

St Clair, Kassia, *The Secret Lives of Colour*, London: John Murray, 2016

Street, Ben, *Art Unfolded: A History of Art in Four Colours*, London: Ilex, 2018

Taggart, Emma, 'The History of the

312

Color Blue: From Ancient Egypt to the Latest Scientific Discoveries', *My Modern Met*, 12 February 2018 *https://mymodernmet.com/shades-of-blue-color-history* (accessed 22 February 2020)

ピンク&パープル

Atkinson, Diane, *The Purple, White & Green: Suffragettes in London 1906-14*, London: Museum of London, 1992

Becker, Doreen, *Color Trends and Selection for Product Design*, 'Colour Coded', *Faber Futures*, 2018 *https://faberfutures.com/projects/project-coelicolor/colour-coded*(accessed 12 February 2020)

Garfield, Simon, '*Mauve: How One Man Invented a Colour that Changed the World*, London: W. W. Norton & Company, 2002

Gilliam, James E. and Unruh, David, 'The Effects of Baker-Miller Pink on Biological, Physical and Cognitive Behaviour,' *Journal of Orthomolecular Medicine*, Volume 3, Number 4, 1988 *http://www.orthomolecular.org/library/jom/1988/pdf/1988-v03n04-p202.pdf*(accessed February 2020)

Hofmeister, Sandra, 'What Colour Was the Bauhaus?' *Kvadrat Interwoven* *http://kvadratinterwoven.com/colours-at-bauhaus* (accessed March 2020)

Jongerius, Hella, '*I Don't Have a Favourite Colour*', Berlin: Gestalten, 2006

Kandinsky, Nina, *Kandinsky und Ich*, Kindle version: München, 1976『カンディンスキーとわたし』ニーナ・カンディンスキー（著）、土肥美夫（訳）、田部淑子（訳）、みすず書房、1980 年

Liffreing, Ilyse, 'Millennial Pink: A Timeline for the Color that Refuses

to Fade', *DigiDay*, 31 July 2017 *https://digiday.com/marketing/millennial-pink-timeline-color-refuses-fade*(accessed February 2020)

Maerz, Aloys John and M. Rea, *A Dictionary of Color*', New York: McGraw-Hill, 1930

Rizzo, Alice, 'Coronavirus: The Posters Spreading Kindness Across London', *BBC News*, 17 April 2020 *https://www.bbc.co.uk/news/uk-england-london-52315966* (accessed June 2020)

Schauss, A.G., 'Tranquilising Effect of Colour Reduces Aggressive Behaviour and Potential Violence, in Orthomolecular Psychiartry', *International Journal of Biosocial and Medical Research*, Vol. 8, No. 4, 25 May 1985 *https://www.researchgate.net/publication/242777200_Tranquilizing_Effect_of_Color_Reduces_Aggressive_Behavior_and_Potential_Violence* (accessed February 2020)

St Clair, Kassia, *The Secret Lives of Colour*, London: John Murray, 2016

Stavely-Wadham, Rose, 'Beetroot, Barley and Brilliantine: Historic Makeup Tips and Tricks from the British Newspaper Archive', *British Newspaper Archive*, 7 September 2020 *https://blog.britishnewspaperarchive.co.uk/2020/09/07/historic-makeup-tips-and-tricks* (accessed September 2020)

Steele, Valerie (ed.), *Pink: The History of a Punk, Pretty, Powerful Color*, London: Thames & Hudson, 2018

Thavapalan, Shiyanthi and Warburton, David A. (eds), *The Value of Colour: Material and Economic Aspects in the Ancient World*, Berlin: Edition Topoi, 2020

Uffindell, Andrew, 'Austro-Sardinian

War: Battle of Magenta', *Military History*, June 1996 *https://www.historynet.com/austro-sardinian-war-battle-of-magenta.htm*(accessed February 2020)

'UNESCO World Heritage Bauhaus Houses with Balcony Access in Dessau', *Bauhaus Dessau* *https://www.bauhaus-dessau.de/en/talks/houses-with-balcony-access.html*(accessed June 2020)

ホワイト&ペール

Atelier Éditions (Ed.), *An Atlas of Rare and Familiar Colour: The Harvard Art Museums' Forbes Pigment Collection*, Los Angeles: Atelier Éditions, 2019

Buckley-Jones, Kiera, 'All Your Questions about Eco-Friendly Paints Answered', *Elle Decoration*, 10 June 2020 *https://www.elledecoration.co.uk/decorating/a32767488/all-your-questions-about-eco-friendly-paints-answered* (accessed September 2020)

Cleaver, Emily, 'Against All Odds, England's Massive Chalk Horse Has Survived 3,000 Years', *Smithsonian*, 6 July 2017 *https://www.smithsonianmag.com/history/3000-year-old-uffington-horse-looms-over-english-countryside-180963968/*(accessed September 2020)

Coles, David, *Chromatopia: An Illustrated History of Colour*, London: Thames & Hudson, 2018, 『クロマトピア—色の世界—写真で巡る色彩と』、デヴィッド・コールズ（著）、井原恵子（訳）、グラフィック社、2020 年

Eisler, Maryam and Pawson, John, 'At Home with the Master of Minimalism: John Pawson', *Lux Magazine*, 2018 *https://www.lux-mag.com/john-pawson* (accessed September 2020)

Hara, Kenya, *White*, Baden: Lars Müller, 2009『白』原研哉（著）、中央公論新社、2008 年

Hutchings, Freya, 'Next Generation: Elissa Brunato's Bio Iridescent Sequin Shimmers with Nature', *Next Nature*, 29 January 2020 *https://nextnature.net/2020/01/interview-elissa-brunato* (accessed September 2020)

Kinoshita, Shuichi and Yoshioka, Shinya, *Structural Colors in Biological Systems*, Osaka: Osaka University Press, 2005

Logan, Jason, *Make Ink: A Forager's Guide to Natural Inkmaking*, New York: Abrams, 2018

McGrath, Katherine, 'These Are the Best-Selling Sherwin-Williams Paint Colors', *Architectural Digest*, 6 July 2017 *https://www.architecturaldigest.com/story/best-sherwin-williams-paintcolors* (accessed October 2020)

McKie, Robin, 'Earth has Lost 28 Trillion Tonnes of Ice in Less Than 30 Years', *The Guardian*, 23 August 2020 *https://www.theguardian.com/environment/2020/aug/23/earth-lost-28-trillion-tonnes-ice-30-years-global-warming* (accessed September 2020)

Nansen, Fridtjof, *Farthest North*, New York: Modern Library, 1999 (1897)『フラム号北極海横断記：北の果て』フリッチョフ・ナンセン（著）、太田昌秀（著）、ニュートン・プレス、1998 年

Pawson, John, 'White on White', *John Pawson Journal*, January 2016 *http://www.johnpawson.com/journal/white-on-white* (accessed September 2020)

Saftig, Steven, 'Lunar White Move: A Conversation with Sonos's Design Director of Color, Material, Finish', Sonos, 2020

https://blog.sonos.com/en-gb/move-lunar-white (accessed November 2020)

グレイ＆ブラック

Atelier Éditions (Ed.), *An Atlas of Rare and Familiar Colour: The Harvard Art Museums' Forbes Pigment Collection*, Los Angeles: Atelier Éditions, 2019

Brill, Robert H, 'The Chemical Interpretation of the Texts', *Glass and Glassmaking in Ancient Mesopotamia*, ed. Leo Oppenheimer, via The Corning Museum of Glass, 1970 *https://www.cmog.org/sites/default/files/collections/EE/EECF0FB5-8390-48EA-8B17-0050D4AADB3F.pdf* (accessed July 2020)

Coles, David, *Chromatopia: An Illustrated History of Colour*, London: Thames & Hudson, 2018、『クロマトピアー色の世界—写真で巡る色彩と』、デヴィッド・コールズ（著）、井原恵子（訳）、グラフィック社、2020 年

Hitti, Natashah, 'Hyundai Unveils Electric Vehicle Concept that Looks like a "Perfectly Weathered Stone"', *Dezeen*, 5 March 2020 *https://www.dezeen.com/2020/03/05/hyundai-prophecy-electric-vehicle-concept* (accessed September 2020)

Imbabi, Mohammed S., Carrigan, Collette and McKenna, Sean, 'Trends and Developments in Green Cement and Concrete Technology', *International Journal of Sustainable Built Environment*, Volume 1, Issue 2, December 2012 *https://www.sciencedirect.com/science/article/pii/S2212609013000071* (accessed July 2020)

Katona, Brian G., Siegel, Earl G and Cluxton Jr, Robert J., 'The New Black Magic: Activated Charcoal and New Therapeutic Uses', *The Journal of Emergency Medicine*, Volume 5, Issue 1, 1987

https://www.sciencedirect.com/science/article/abs/pii/0736467987900047 (accessed October 2020)

Logan, Jason, *Make Ink: A Forager's Guide to Natural Inkmaking*, New York: Abrams, 2018

Maerz, Aloys John and M. Rea, *A Dictionary of Color*, New York: McGraw-Hill, 1930

'"Modern Nature" Exhibit Explores Georgia O'Keeffe's Love Affair With The Adirondacks', *HuffPost*, [updated] 6 December 2017 *https://www.huffpost.com/entry/modern-nature-georgia-oke_n_4044942* (accessed January 2021)

Saunders, Nicholas J., 'A Dark Light: Reflections on Obsidian in Mesoamerica' in *World Archaeology Vol. 33*, New York: Routledge, 2001 *https://www.academia.edu/2424264/A_Dark_Light_Reflections_on_Obsidian_in_Mesoamerica* (accessed 17 September)

Sharma, Nisha, Agarwal, Anuja, Negi, Y. S., Bhardwaj, Hemant and Jaiswal, Jatin, 'History and Chemistry of Ink: A Review', World Journal of Pharmaceutical Research, Volume 3, Issue 4, 2014 *https://wjpr.net/admin/assets/article_issue/1404208081.pdf* (accessed September 2020)

Stathaki, Ellie, 'Step Inside Asif Khan's Dark Pavilion for the Winter Olympics', *Wallpaper**, 7 February 2018 *https://www.wallpaper.com/architecture/asif-khan-pavilion-winter-olympics-south-korea-2018* (accessed September 2020)

Stengel, Jim, 'Jack Daniel's Secret: The History of the World's Most Famous Whiskey', *The Atlantic*, 9 January 2012 *https://www.theatlantic.com/business/*

314

archive/2012/01/jack-danielssecret-the-history-of-the-worldsmost-famous-whiskey/250966 (accessed September 2020)

Webb, Marcus, 'Shifting Sands' , *Delayed Gratification*, Issue 36, 2019

Winston, Anna, 'Young Designers Are Making Aluminium "More Desirable" for Collectors' *Dezeen*,16 May 2019 *https://www.dezeen.com/2019/05/16/aluminium-furniture-design-collectors* (accessed July 2020)

ブラウン

Atelier Éditions (Ed.), *An Atlas of Rare and Familiar Colour: The Harvard Art Museums' Forbes Pigment Collection*, Los Angeles: Atelier Éditions, 2019

Ball, Philip, *Bright Earth*, Kindle Edition: Vintage Digital, August 2012

Becker, Doreen, *Color Trends and Selection for Product Design*, Norwich: William Andrew, 2016

'Benjamin Brecknell Turner – Working Methods' , Victoria& Albert Museum *https://www.vam.ac.uk/articles/benjamin-brecknell-turner-working-methods* (accessed October 2020)

Coles, David, *Chromatopia: An Illustrated History of Colour*, London: Thames & Hudson, 2018、『クロマトピア一色の世界一写真で巡る色彩と』、デヴィッド・コールズ（著）、井原恵子（訳）、グラフィック社、2020 年

Dejoie, C., Sciau, P., Li, W. *et al.*, 'Learning from the Past: Rare ε-Fe 2O3 in the Ancient, Black-Glazed Jian (*Tenmoku*) Wares' , *Nature Briefing, Scientific Reports*,Volume 4, 13 May 2014 *https://www.nature.com/articles/srep04941*(accessed October 2020)

Grovier, Kelly 'Umber: The Colour

of Debauchery' *BBC News*,19 September 2018 *https://www.bbc.com/culture/article/20180919-umber-the-colour-of-debauchery* (accessed October 2020)

Karagiannidou, Evrykleia G. 'Colors in the Prehistoric and Archaic Era' , Chemica Chronica/Association of Greek Chemists (EEX) via *Chemistry Views*, 6 March 2018 *https://www.chemistryviews.org/details/ezine/10872110/Colors_in_the_Prehistoric_and_Archaic_Era.html*(accessed October 2020)

Klee, Paul, *The Thinking Eye*, Notebooks Volume 1, London: Percy Lund, Humphries & Co.,Ltd, 1961 『造形思考』 パウル・クレー（著）、土方 定一（訳）、菊盛 英夫（訳）、坂崎乙郎（訳）、筑摩書房、2016 年

Loske, Alexandra, *Colour: A Visual History*, London: Ilex, 2017

Moriarty, Catherine, 'Dust to Dust: A Particular History of Khaki' , *Textile The Journal of Cloth and Culture*, November 2010 *https://www.researchgate.net/publication/233680235_Dust_to_Dust_A_Particular_History_of_Khaki* (accessed October 2020)

Plank, Melanie, 'How Sustainable Is Paper And Cardboard Packaging?' , *Common Objective*, January 2020 *https://www.commonobjective.co/article/how-sustainable-is-paper-and-cardboard-packaging* (accessed October 2020)

St Clair, Kassia, *The Secret Lives of Colour*, London: John Murray, 2016

West FitzHugh, Elisabeth (ed.), *Artists' Pigments A Handbook of Their History and Characteristics:* , Volume 3, Washington: National Gallery of Art, 199

引用

本書中の引用はすべて原文からのオリジナル訳。

p.8　Eastlake, Charles L., *'Goethe's Theory of Colours'* , London; John Murray, 1840

p.12　Jongerius, Hella, *'I Don't Have a Favourite Colour'* , Berlin: Gestalten, 2006

p.29　Albers, Josef *The Interaction of Color: 50th Anniversary Edition*, New Haven and London: Yale University Press, 2013 (1963)

p.34　Kerouac, Jack, *On The Road*, London: Penguin Classics, 2000 (1957)

p.41　Itten, Johannes, *The Art of Color: The Subjective Experience and Objective Rationale of Color*, New York: John Wiley & Sons, 2001 (1961)

p.76–7　Stein, Gertrude, *Picasso*, New York: Dover Publications, 2000 (1938)

p.194–5　Koddenberg, Matthias, *Yves Klein: In/Out Studio*, Dortmund: Verlag Kettler, 2016

p.212–3　Ball, Philip, *Bright Earth*, Kindle Edition: Vintage Digital, August 2012

p.222　Schiaparelli, Elsa, *Shocking Life: The Autobiography of Elsa Schiaparelli*, London: V & A, 2007

写真・画像提供

本書で使用する図版を提供してくださった以下の方々に感謝いたします。

13 Courtesy Galerie kreo. Photo © Sylvie Chan-Liat; 16 Studio Olafur Eliasson Boros Collection, Germany. Photo: María del Pilar García Ayensa; 18 Karl Gaff/Science Photo Library; 27 © The Josef and Anni Albers Foundation/DACS 2021. Image: Yale University Press; 31 Mint Images Ltd/Alamy Stock Photo; 43 Wikimedia/Creative Commons Attribution-Share Alike 3.0 © 2007 Jacob Rus, 2007; 45 Mika Baumeister/Unsplash; 55 Courtesy Agnè Kučerenkaitė; 56 Photo: Cyrille Wiener; 59 Library of Congress, Department of Prints and Drawings; 61 album/Alamy Stock Photo; 63 Illustration courtesy of Shepard Fairey/Obeygiant.com; 65 Metropolitan Museum of Art, New York, Gift of George D. Pratt, 1930; 67 akg-images; 69 Courtesy of ARTCOURT Gallery. Photo: Takeru Koroda; 71 Robert Harding/Alamy Stock Photo; 73 © Banco de México Diego Rivera Frida Kahlo Museums Trust, Mexico, D.F./DACS 2021. Photo: Archivart/Alamy Stock Photo; 75 Victoria and Albert Museum, London; 79 Courtesy Ward Wijnant. Photo: Ronald Smits; 81 Beatie Wolfe; 83 Courtesy Marco Menghi and Mandalaki; 87 © The Barnett Newman Foundation, New York/DACS, London 2021. Photo: World History Archive/ akg-images; 89 Ashmolean Museum, Oxford/Bridgeman Images; 91 Russ Images/Alamy Stock Photo; 93 Brionvega is a brand of BV2 srl Milano: the Brionvega Art Products Company, www.brionvega.it. Photo: Giorgio Serinelli; 95 Robert Morris/Alamy Stock Photo; 97 Artokoloro/Alamy Stock Photo; 99 Galit Seligmann/Alamy Stock Photo; 101 Jimlop Collection/Alamy Stock Photo; 103 © Keith Haring Foundation; 105 Victor Virgile/Gamma-Rapho via Getty Images; 109 Metropolitan Museum of Art, New York, Cynthia Hazen Polsky and Leon B. Polsky Fund, 2006; 111 Fabric dyed by Joanna Fowles. Stylist: Megan Morton, photo: Pablo Viega; 113 © Succession H. Matisse/DACS 2021. Photo: Museum of Fine Arts, Houston. Museum purchase funded by Audrey Jones Beck/Bridgeman Images; 115 Photo: Anthony Coleman; 116 Nathaniel Noir/Alamy Stock Photo: 119 incamerastock/Alamy Stock Photo; 121 Metropolitan Museum of Art, New York, Rogers Fund, 1949; 123 Pascal Le Segretain/Getty Images; 125 PAINTING/Alamy Stock Photo; 127 Marco Montalti/Alamy Stock Photo; 129 Courtesy Studio RENS. Photo Ronald Smits; 131 Merrill Images/Getty Image; 132 Giacomo Pasqua/Shutterstock; 137 Matteo Omied/Alamy Stock Photo; 139 Styling by Yenchen & Yawen Studio. Photo: Anna Pors (annaslichter. com); 141 Courtesy of Fornasetti; 143 Photo © Christie's Images/Bridgeman Images; 145 National Gallery of Art, Washington, Chester Dale Collection; 147 Courtesy Ptolemy Mann; 149 Vitra UK © Studio Bouroullec; 151 Courtesy Parley for the Oceans; 153 Little Greene; 155 Illustration by Oleksandr Khoma/Dreamstime.com; 156 Rob Kim/Getty Images; 159 Virgile/Gamma-Rapho via Getty Images; 161 Timothy A Clary/Getty Images; 163 Courtesy Delft School of Microbiology Archives at Delft University of Technology, The Netherlaands; 165 Marion Carniel/Alamy Stock Photo; 169 IItajime airvase, designed by Torafu Architects and manufactured by Fukunaga Print Co. Photo Kyoko Nishimoto/Buaisou; 171 incamerastock/Alamy Stock Photo; 173 Francois Guillot/AFP via Getty Images; 175 Heritage Image Partnership Ltd/Alamy Stock Photo; 177 Photo © Christie's Images/Bridgeman Images; 179 © Succession Picasso/DACS, London 2021. Photo National Galleries of Scotland, Edinburgh/Bridgeman Images; 181 Metropolitan Museum of Art, New York, Rogers Fund, 1926; 183 © Estate of William Scott 2021. Photo © Tate; 185 Alfredo Dagli Orti/Shutterstock; 187 Courtesy Dulux; 189 © Olivetti SpA. Photo Bahadir Yeniceri/Dreamstime.com; 191 © MTA. Used with permission; 193 © Succession Yves Klein c/o ADAGP, Paris and DACS, London 2021. Photo © Phillips Auctioneers Ltd; 197 Photo: Mercedes-Benz AG; 199 Courtesy Kremer Pigmente; 203 Raffaello Bencini/Bridgeman Images; 205 Victor Boyko/Getty Images; 207 Archives Charmet/Bridgeman Images; 209 © Jeff Koons. Photo © 2017 Fredrik Nilsen. Courtesy Gagosian; 211 Neil Juggins/Stockimo/ Alamy Stock Photo; 215 Peter White/Getty Images; 217 WBC Art/Alamy Stock Photo; 218 Courtesy JACK ARTS; 221 Philadelphia Museum of Art. Gift of Mme Elsa Schiaparelli, 1969/Bridgeman Images; 223 Robert van Hoenderdaal/Alamy Stock Photo; 225 Courtesy Vollebak. Photo Andy Lo Po; 227 © Stephen Flavin/Artists Rights Society (ARS), New York 2021. Photo: Bridgeman Images; 229 Photo © Thomas Rusch; 231 Victor Boyko/Getty Images; 233 Arcaid Images/Alamy Stock Photo; 235 Courtesy Mutina. Photo Gerhardt Kellermann; 237 © 2020 Nicole Stjernswärd, Kaiku Living Color; 239 Wim Van Egmond/Science Photo Library; 241 Courtesy Puma; 245 Photo by Carol Beckwith and Angela Fisher. Courtesy THK Gallery; 247 Rijksmuseum, Amsterdam. On loan from the City of Amsterdam (A. van der Hoop Bequest); 249 Metropolitan Museum of Art, New York, Gift of Alexander Götz, in honor of Samuel Eilenberg, 1996; 251 © Yesenia Thibault-Picazo; 253 Pixelformula/SIPA/Shutterstock; 255 Courtesy Sonos; 257 © Andy Goldsworthy. Courtesy Galerie Lelong & Co; 259 © Tonkin Liu; 261 © British Library Board. All Rights Reserved/Bridgeman Images; 263 © Elissa Brunato; 267 Richard Bord/WireImage/Getty Images; 269 Courtesy Wendy Andreu & Bram Vanderbeke; 271 Patrik Slezak/ Shutterstock; 273 Metropolitan Museum of Art, New York, The Howard Mansfield Collection, Purchase, Rogers Fund, 1936; 275 © Assemble; 277 Courtesy Studio ThusThat; 279 Photo: Luisa Zanzani, Formafantasma; 281 Courtesy Keiko Shimoda, www.kcalligraphy.com; 283 © Georgia O'Keeffe Museum/DACS 2021. Photo: Art Resource/Scala, Florence; 285 Courtesy Seungjoon Song; 287 Luke Hayes/Asif Khan via Getty Images; 291 William Morris Gallery, London Borough of Waltham Forest; 293 Niday Picture Library/Alamy Stock Photo; 295 agefotostock/Alamy Stock Photo; 297 Saša Fuis/Van Ham, Cologne/akg images; 299 Photo: Studio Laura Daza; 301 © Agnes Martin Foundation, New York/DACS 2021. Photo © Christie's Images/Bridgeman Images; 303 Mike Floyd/Daily Mail/Shutterstock; 305 Courtesy Vitra; 307 Courtesy Neri Oxman and the Mediated Matter Group. Produced by Stratasys Ltd.

謝辞

　本書の執筆にあたり、各色について貴重でかけがえのないエピソードを共有してくださったすべてのデザイナーやアーティスト、色料メーカーの皆様に心より感謝申し上げます。皆様からご提供いただいた情報は大切な研究資料となりました。特に新型コロナウイルスによるロックダウン中、活動規制があるなかでインタビューが実現した事は非常にありがたく改めて御礼申し上げます。なかでも特筆すべきご尽力をいただきました「リビング・カラー・コレクティブ」のローラ・ルヒトマンとイルファ・シーベンハー、また、新たな時代の流れを感じさせる魅力的な色彩のニュアンスを私に教えてくれたアグネ・クチェレンカイトに重ねて御礼申し上げます。

　本書で網羅する色の世界の探求に同行し常に支えてくれた委託編集者のエリー・コルベットに心より感謝申し上げます。また、レイチェル・シルバーライト、ベン・ガーディナー、ジュリア・ヘザリントン率いる編集デザインチームと画像資料調査チームの皆様によるプロフェッショナルな仕事のおかげで一冊の本にまとめることができました。改めて御礼申し上げます。

　作家で友人のサラ・コンウェイにも謝辞をお伝えします。色彩が持つ無限の可能性について共に語らう貴重な時間を割き、物語性の重要さを教えてくれました。また、絶妙なタイミングでリサーチを手伝ってくれたローラ・ソルターにも感謝しています。さらに、いつも傍で私を支えてくれた夫ダニエル。たくさんの草稿を読み的確な助言をくれたばかりか、執筆に専念できるよう庭に美しい書斎を建ててくれました。また、この本は無類の読書好きだった亡き祖母キティに捧げます。書物の世界に没頭するあまり、何時間でも本を手にして座っていた姿を思い出します。